Outland

ALAN DEAN FOSTER	*ŒUVRES*
ALIEN, LE HUITIÈME PASSAGER	*J'ai Lu* 1115***
LE TROU NOIR	*J'ai Lu* 1129***
LE CHOC DES TITANS	*J'ai Lu* 1210****
OUTLAND	*J'ai Lu* 1220**

récit de
ALAN DEAN FOSTER
scénario de
PETER HYAMS

Outland
...loin de la Terre

traduit de l'américain par Eric Wessberge

Éditions J'ai Lu

Pour Emery Morris, du comté de Shackleford,
Texas,
Mon cher ex-shérif,
Qui comprendra O'Niel...

Ce roman a paru sous le titre original :
OUTLAND

1

A Io, on importait pratiquement tout, y compris l'amour. Ceux qui avaient servi sur cette station de travail n'en repartaient pas avec d'agréables souvenirs. Supporter Io demandait un véritable effort, car les émotions et les attitudes humaines subissaient, si loin de cette bonne vieille terre, des changements radicaux, et rarement pour le mieux.

En ce qui me concerne, il est certain que ça ne m'a pas transformé tant que ça, pensa O'Niel. Evidemment, les années passées avaient été rudes. Pourtant, il était habitué à des endroits comme Io, autant qu'un humain pouvait l'être.

O'Niel était couché sur le lit, dans la pénombre de sa chambre, les mains derrière la tête et les yeux fixes. Près de lui, luisaient les chiffres vert fluorescent d'une pendule digitale.

Le plafond, un dôme noir où s'animaient les rares ombres vivantes qui peuplaient la pièce, était la réplique de l'espace qui s'étendait au delà. D'ordinaire, O'Niel était capable de se concentrer entièrement sur son travail; mais ce soir-là, les ombres avaient fait intrusion dans sa tête, y semant le désordre et les soucis. Cela tourbillonnait dans ses pensées, petits tracas volages qui dérangeaient ses plans, mouchetaient la couleur du futur. Ce futur était indissolublement lié à la silhouette souple près de lui. Il roula sur le côté et, s'appuyant sur un coude, contempla les courbes familières, adoucies par les plis relâchés de la fine couverture.

Pourquoi ne puis-je jamais te dire tout ce que j'éprouve? se demanda-t-il. Carol, sais-tu, Carol, à quel point je dépends de toi? A quel point je vous aime, toi et Paulie? Je sais, je ne suis guère éloquent. Je ne suis pas poète, c'est le moins qu'on puisse dire. Mais je serais perdu sans toi. J'aimerais être assez sûr de moi pour te réveiller et te dire tout ça.

Il faisait froid dehors, un froid qui dépassait l'imagination et l'expérience de la plupart des hommes. Tandis qu'au fond de ce lit douillet, il faisait chaud, c'était confortable et rassurant. Quel bonheur c'eût été de ressentir cela tout le temps et non quelques instants seulement, aux portes du sommeil nocturne. Impossible, se rappela-t-il, son travail l'exposait immanquablement au froid, celui-là même qui régnait dans l'environnement naturel de Io. Un jour peut-être...

Il se le promit, à lui, ainsi qu'à la femme endormie à ses côtés. Une seule mission encore, Carol, juste une dernière. Il étendit le bras et glissa sa main le long de la cambrure des hanches, remonta le long des flancs, effleura la cascade des cheveux, puis les joues. Elle frémit dans son sommeil.

Si belle, pensa-t-il. Même tournée de l'autre côté, même endormie, si belle. Je ne peux pas courir le risque de la perdre. Il savait bien, confusément, que ce genre de résolution n'était pas nouveau, que plusieurs fois, déjà, il avait furtivement dévié, failli à ses engagements. Mais cette fois, se dit-il, je le veux vraiment, cette mission sera la dernière.

Il toucha Carol à nouveau, sa main plongea plus bas et la chaleur de son dos fit naître un fourmillement dans ses doigts. Elle se retourna et remonta la couverture.

O'Niel ferma les yeux. Peu à peu, les ombres qui hantaient ses pensées se dissipèrent, tandis que le gagnait ce sommeil léger et rare qui était à la fois une caractéristique et une nécessité dans son travail.

En ces temps-là, l'humanité avait repoussé les frontières de son empire au delà d'un monde unique, au delà de sa bulle d'air originelle. L'homme avait envoyé des sondes à la recherche des lunes de Neptune et creusé profondément la surface de la Lune et de Mars. Il avait exploité des étoiles suspendues dans l'abîme, entre la planète rouge et Jupiter la géante. Tous ces astéroïdes étaient durs, désolés et dangereux. Mais aucun n'était pire que Io. Il y avait très peu d'horizon et le peu qu'il y eût était aussi noir que la face cachée de Pluton. A la place du ciel, il y avait une présence. Des touristes auraient pu la trouver magnifique, imposante, mais les touristes ne venaient pas sur Io. Io était juste un lieu de travail où l'on faisait de son mieux pour survivre. La présence se manifestait sous la forme d'un globe monstrueux et boursouflé, strié de bandes fuligineuses et orange comme l'enfer. Jadis, l'homme l'avait baptisé Jupiter, d'après le nom du dieu des dieux auxquels il croyait alors. Les dieux des hommes étaient transitoires; pas Jupiter.

Hommes et femmes peinant sur Io avaient trouvé d'autres noms pour la planète géante, tous colorés, souvent scabreux, parfois scatologiques. A leurs yeux, cette planète n'avait rien d'admirable.

Elle venait inexorablement leur rappeler la fragilité de leur position et l'énorme distance qui les séparait de leur foyer, sur la Lune, sur Mars ou sur la Terre.

Le premier impact de Jupiter sur les nouveaux arrivants était toujours suivi avec intérêt par les Ioïtes les plus expérimentés.

Il y avait un test, tacite et informel, un test appelé « degré de choc », auquel les ouvriers préposés au débarquement des navettes ne manquaient jamais de soumettre les nouvelles recrues. C'est une chose de contempler tranquillement Jupiter, de l'intérieur d'un vaisseau spatial, en se sachant protégé par de puissants moteurs prêts à vous propulser au large de cette effrayante gravité. C'en

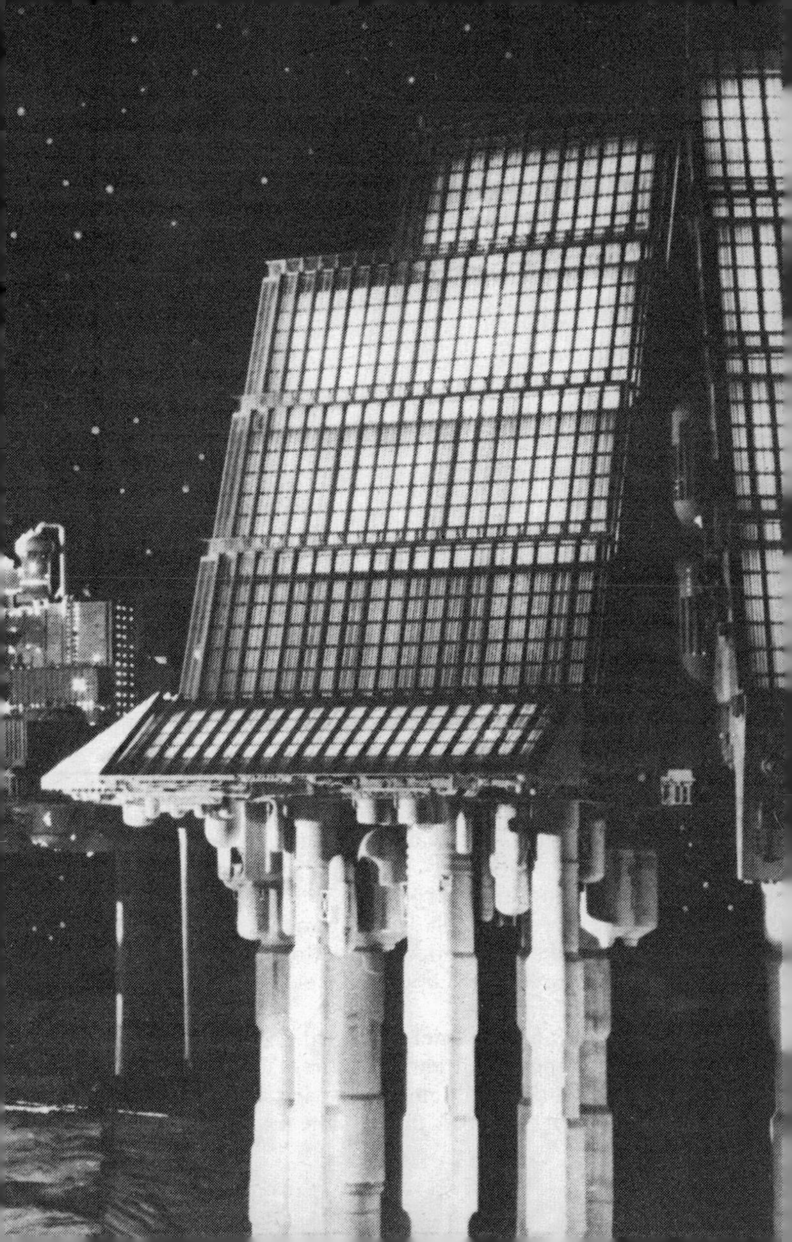

est une autre de débarquer d'une navette dans la station de Io et de voir à travers le couloir d'accès transparent ces billions de tonnes de matière flottant juste en aplomb, dans un équilibre apparemment destiné à vous oppresser comme le ferait un homme à côté d'une fourmi. Aussi, le personnel de la station guettait-il avec curiosité l'intensité et la fréquence des sursauts des nouveaux, la première fois qu'ils étaient confrontés à ce spectacle psychologiquement dévastateur. Plus le sursaut était vif et prononcé, plus il se répétait, moins l'individu avait de chances de séjourner longtemps sur Io.

Naturellement, si vous aviez signé un contrat, ce qui était le cas de la plupart des travailleurs de la station, vous étiez coincé. On ne rompt pas un contrat avec la compagnie.

Il y avait un autre test, que l'on appliquait d'habitude un peu plus tard. C'était le test du saut. Les employés de la station faisaient croire au novice que l'on pouvait réellement sentir l'attraction colossale de Jupiter sur le sol de Io. Compte tenu de la faible gravité, expliquaient-ils, un sauteur musclé et imprudent pouvait faire un bond tel que l'attraction de Jupiter reprenait le dessus et le happait irrésistiblement dans l'espace. Et c'était la fin car, comme le savaient bien les travailleurs de Io, l'enfer n'était pas rouge. Dante s'était complètement trompé. L'enfer était jaune-orangé, rayé comme une demi-douzaine de tigres en furie, avec un seul œil gigantesque et sanglant au milieu, qui vous fixait en permanence, sans jamais ciller.

Une météorite, un débris venu de la nuit des temps, avait creusé le cratère. Plus récemment, l'homme avait construit la mine qui en occupait le fond. Celle-ci était la raison de sa présence continuelle en ce lieu, pourtant vouée à le décourager.

Un beau jour, les pionniers s'étaient posés là, ils avaient planté leur drapeau, fait leur discours, s'étaient gorgés de gloire et avaient soudainement disparu. D'autres avaient suivi. Ceux-là n'était pas des prêcheurs. La plupart ne trouvèrent rien mais, sur le tard, un groupe de chercheurs fatigués avait fait, à l'intérieur de ce cratère, une découverte d'un intérêt plus que passager. Ce qu'il avait trouvé, c'était un mégalithe de minerai dur et noir, l'ilménite, produit par les soulèvements volcaniques de Io. Or, l'ilménite se trouve être l'élément principal d'un métal, appelé titanium, utilisé, entre autres choses, pour la fabrication des coques de vaisseaux spatiaux. La présence sur Io d'une quantité considérable d'ilménite fut dès lors la rançon d'un grand nombre d'accidents, de plusieurs morts et du coût exorbitant de l'installation minière.

C'était une grande mine, dont l'importance correspondait au vaste conglomérat international qui l'exploitait.

Elle s'était rapidement développée et disparaîtrait sans doute aussi vite, dès que le gisement serait épuisé. Mais pour le moment, c'était une entité fonctionnelle qui vivait et respirait.

Comme un monstre céphalopode paresseux, la mine rampait sur le mur escarpé du cratère, s'arc-boutant à ses lèvres par des tentacules de métal et plongeant des trépans d'acier dans ses flancs. De loin, cela ressemblait à quelque création onirique, un grand arbre de Noël aux ramures scintillantes. De près, l'illusion disparaissait et c'était simplement un outil de plus.

Des tubulures et des rampes d'accès transparentes reliaient entre elles les principales structures. Les minces filaments de métal et de plastique semblaient à peine assez solides pour supporter la pression de l'atmosphère sans laquelle toute vie eût été impossible sur Io.

Parfois, du reste, ils éclataient, ou alors il y avait des fuites qu'on réparait hâtivement en soudant ou en remplaçant les pièces. Cela était effectué avec un soin plus grand encore que celui qui présidait à l'entretien des installations minières. En effet, le bris de matériel, c'était seulement un peu d'encre rouge; mais un accident de pressurisation dans les rampes d'accès, c'était la mort.

Les installations de la zone minière étaient gracieuses,

mais aussi impressionnantes par leur efficacité. Une résille d'échafaudages s'étendait sur plus de cent mètres de profondeur au creux du cratère. Les niveaux les plus bas étaient plongés dans l'obscurité. Ces échafaudages semblaient trop frêles pour soutenir le poids des hommes, sans compter leur lourd équipement. A cet égard, la faible gravité de Io était une bénédiction.

L'ombre gigantesque de Jupiter pesait sur tout le paysage. Les ténèbres engloutissaient le fond du cratère. L'ouvrier dont l'attention était distraite n'avait le choix qu'entre ces deux panoramas, également sinistres. Dans ces conditions, il lui était facile de se consacrer de tout cœur à sa tâche.

Les échafaudages étaient faits d'un métal fortement oxydé. Leur teinte orangée égalait, par un mimétisme involontaire, celle de Jupiter. La plupart des hommes et des femmes qui s'activaient d'une plate-forme à l'autre ignoraient le nom du métal qui leur servait de support. Ils étaient néanmoins sûrs et certains d'une chose, c'est qu'il ne contenait guère de titanium. Cette précieuse matière avait bien trop de valeur pour servir à la sécurité de quelques mineurs sacrifiés.

On leur avait dit : une année. Une année de dur labeur, et une jolie fortune à la clé. Ça n'avait pas l'air si long que ça au moment de la signature du contrat. Une seule malheureuse année pour plus d'argent que l'on pouvait espérer en gagner pendant cinq ans sur Terre.

Au bout d'un mois, l'ouvrier commençait à se demander si le marché en valait la peine. Au bout de deux mois, il regrettait d'avoir signé. Au bout de six, plus grand-chose n'avait d'importance, ni le contrat ni rien d'autre. Au bout de neuf, il se surprenait à compter les minutes et non les jours qui le séparaient de la fin. Après le onzième mois, il passait presque tout son temps à essayer de ne pas crier.

Chaque fois qu'une navette décollait sans lui, il la regardait partir avec amertume. Cela, bien sûr, s'il avait la chance d'avoir survécu à ces onze mois de purgatoire.

Il n'y avait pas de cimetière sur Io. Les inhumations auraient été trop coûteuses et les grandes balafres laissées dans les filons d'ilménite ne se prêtaient pas à la construction d'une nécropole.

La blague qui circulait était que si l'on mourait sur Io, la compagnie vous payait un somptueux tour de la galaxie qui se concluait par un aller simple vers le Soleil. C'était une blague assez douteuse, mais toute forme d'humour était bienvenue à la mine.

Tous les mineurs portaient sur eux un petit soleil, une lampe de travail au rayon d'un blanc pur, alimentée par les piles solaires de la station. Ces énormes capteurs parvenaient à convertir l'énergie du lointain Soleil, réduit sur Io aux dimensions d'une moindre étoile. Le mouvement des torches sur les flancs du cratère donnait l'impression que la mine était peuplée de lucioles.

Sur Terre, quand on l'avait conçu, l'équipement des mineurs avait paru démesuré. Mais Jupiter s'était vite chargé de le ramener à de plus justes proportions. Dans la mine, les grues mobiles et les excavatrices paraissaient des jouets. Elles se succédaient sur le mince pourtour du cratère, comme de gros cafards repus, en train de grignoter le roc.

Les pompes et les générateurs émettaient un bourdonnement que personne n'entendait. Mais les mineurs en sentaient les vibrations à travers les chaussures et les gants de leur combinaison autonome.

Le personnel de l'extraction était devenu très sensible aux vibrations. Si elles s'arrêtaient à l'improviste, cela pouvait signifier qu'un grutier s'offrait une pause avec son coéquipier. Ou bien qu'un foret venait de casser juste au-dessus, et alors là, il y avait intérêt à filer comme un rat pour s'abriter, avant que les morceaux d'acier et de plastique ne vous tombent dessus. Tout le monde, à la mine, avait un ou une pote, sur qui on veillait, et qui veillait sur vous. Personne, autrement, ne vous aurait averti de la chute silencieuse d'un éclat de roche menaçant de déchirer votre combinaison et de vous envoyer flotter lentement, en bouillie, jusqu'au fond du gouffre.

De la grue au tournevis, chaque chose à la mine avait son usage. Même la couleur des tenues de travail était intentionnelle, quoiqu'elle n'eût rien à voir avec l'esthétique. Les mineurs portaient un vêtement jaune. Les conducteurs d'engin étaient en rouge, l'administration et l'entretien en blanc. Cette dernière couleur faisait l'objet de nombreuses plaisanteries parmi les autres travailleurs. Il n'y avait guère de pureté sur Io, sauf celle des ténèbres environnantes.

Le nom de chacun, cousu sur la poche de poitrine gauche, fournissait un surplus d'identification. Aux yeux de la direction, néanmoins, la couleur des vêtements avait plus d'importance que les lettres. Il n'était pas rare de voir des travailleurs aguerris dédaigner les ascenseurs et, défiant le vide, sauter d'un niveau à l'autre. La faible gravité aidant, les bonds les plus prodigieux devenaient à la portée du plus chétif.

Les Jove-Jockies – on appelait ainsi les ouvriers ayant repris du service au delà d'une année – prenaient un malin plaisir à rivaliser d'audace. Ils horrifiaient les nouveaux venus par leurs sauts de cascadeurs, tirant au maximum sur leur longe de sécurité.

Un mineur légendaire, qui en était à sa quatrième année, un nommé Gomez, avait soi-disant sauté jusque dans le champ de gravité vorace de Jupiter. Il avait bondi si haut que sa longe avait cassé. Ses compagnons s'étaient rassemblés et l'avaient regardé s'élever vers la mort orangée. Son dernier mot avait été « Mierda! » prononcé avec l'accent rocailleux de son parler natal mexicain.

Ses camarades étaient restés plantés là, parce que c'était tout ce qu'ils pouvaient faire. Il n'y avait aucun vaisseau stationné à la mine, rien avec quoi on pût tenter un sauvetage, sauf la navette, mais elle ne venait qu'une fois par semaine. Il ne manquait pas de Jove-Jockies pour raconter et, au besoin, embellir l'histoire de Gomez. Les nouveaux écoutaient, faisaient mine d'y croire ou d'en douter, mais quand ils étaient seuls, ils se demandaient si c'était vraiment arrivé. Ils levaient alors les yeux vers le globe monstrueux de Jupiter et retournaient précipitamment à leur travail. Il valait mieux se concentrer sur le roc.

Chaque scaphandre autonome était un petit monde. Il y avait des réserves d'eau, d'aliment liquide et bien sûr d'atmosphère, et puis le babil de nombreuses conversations, relayées sur fréquences libres. Au septième niveau, des haveuses à arc détachaient d'un brillant éclair blanc les blocs de minerai de la roche brute. Chacun se déplaçait prudemment au bout de sa longe. Tous semblaient évoluer dans l'eau, alors qu'en fait c'était dans le néant. Contrairement aux mouvements physiques, les conversations se poursuivaient à un rythme frénétique. Les discussions des mineurs formaient un murmure continu où se mêlaient les commentaires désabusés sur les cadres et les contremaîtres, les blagues obscènes, les sarcasmes, tout cela entrecoupé de soupirs et de grognements.

– Rien à faire! grommela l'ouvrier qui portait le nom de Walter imprimé sur sa combinaison. Je leur ai dit, mais ils ne veulent rien entendre. Ils vont amener des vidangeurs automatiques. Sinon, ça leur coûterait trop cher en main-d'œuvre et puis, de toute façon, les Jove-Jockies ne les laisseront pas se défiler.

Son compagnon, un rougeaud nommé Hughes, fit entendre un petit rire de dérision.

– Tu veux parier? Quand ils en ont installé au quatorzième et au vingt-troisième, c'était juste une expérience provisoire, d'après eux. Eh bien, ils y sont toujours, aux deux niveaux, à souffler comme des maudits tas de ferraille qu'ils sont. Tu parles de provisoire! (Il se tourna vers Walter.) Passe-moi ce connecteur, tu veux? Mon pic commence à crachoter, je ferais mieux de changer d'endroit.

Walter ramassa un mince tube de métal et le plaça soigneusement dans le gant de Hughes. La vitre de son scaphandre était en partie embuée, la sueur lui ruisselait sur les joues et le front.

La transpiration sous les scaphandres produisait une chaleur moite et une odeur qu'un ouvrier avait un jour comparée à celle d'un mouton sorti d'une étuve. Mais comme ce défaut ne mettait pas la vie des travailleurs en danger, la compagnie estimait inutile d'investir pour y remédier. De toute façon, raisonnait-on en haut lieu, si les ouvriers ne s'étaient pas plaints de la chaleur, ils se seraient plaints d'autre chose, non?

– Et Wooton, qu'est-ce qu'il en dit? (Walter s'était remis à entamer sa section de mur, avec une adresse depuis longtemps machinale.) Tu sais, l'intendant aux cuisines, reprit-il, penses-tu que le syndicat ferait quelque chose pour empêcher qu'on installe ces vidangeurs?

– Eh bien, je vais te le dire : Zip! (Le cutter de Hughes traça une longue entaille sur la muraille rocheuse, un point d'exclamation électro-carbonique.) C'est exactement ce qu'il a dit quand je lui en ai parlé... Zip sur toute la ligne.

Walter secoua la tête en signe de dépit, peu expressif sous la cuirasse de sa combinaison. Ils arrivent toujours à rabioter sur quelque chose. Putain de compagnie! Comme s'ils ne tiraient pas assez profit de ce maudit trou. Il faut encore qu'ils essayent de rogner les coins, de mettre un pauvre schnock au rancart.

– Ouais, eh bien, c'est une belle clique de salopards! (Hughes émit un son grossier dans l'intercom.) Pas moyen qu'ils y renoncent. Ils ont sept mineurs par brigade au quatorzième et au vingt-troisième. Tu connais le règlement aussi bien que moi. Huit par équipe, c'est écrit noir sur blanc, huit ouvriers. (Il baissa la voix.) Et ils ont encore muté un couple. Je les connaissais. Mariel et Dortmunder, très chouettes tous les deux. C'est quand même une honte.

– Ouais, eh bien, s'ils veulent jouer au plus malin, on peut l'être aussi, répliqua Walter avec énergie.

Le cutter de Hughes ripa avec un bruit sec et il dévisagea son compagnon.

– Tu as quelque chose en tête?

– Exact. J'en ai soupé de me faire manipuler. Je vais dire à Wooton que je veux un meeting. Il nous faudrait peut-être un nouveau délégué. Le règlement, c'est le règlement, bon Dieu! Sinon, ça ne sert foutrement à rien. (Il régla quelques boutons sur le bras gauche de son scaphandre.) Jésus! Ils ne pourraient pas climatiser ces scaphandres? Il doit faire moins quarante dehors et on se grille le cul, là-dedans... (Son regard se porta au delà de Hughes, vers un troisième mineur qui s'affairait au même niveau.) Tu ne crois pas, Tarlow?

L'autre ne répondit pas. Walter grogna et se remit à la tâche. Cette histoire d'hommes remplacés par des robots l'avait déprimé plus que d'habitude. Tarlow abaissa son cutter et le posa avec précaution sur la rambarde de l'échafaudage. Hughes et Walter ne faisaient plus attention à lui.

– Et où est ton autre scaphandre? demanda Hughes à son pote.

– Au magasin, où veux-tu qu'il soit? Il devait être prêt il y a deux jours. (Il se racla la gorge, hésita, puis déglutit.) Tu sais ce qu'il y a de pire, avec leur saleté de combinaison? C'est qu'on ne peut pas cracher.

– Ça dépend de ton hygiène personnelle. Y en a qui le font, remarque.

– Pas moi, répliqua Walter. Je n'en suis pas encore là mais j'aimerais bien qu'ils me règlent mon équipement de rechange.

– Il ne faut pas en vouloir aux gars du magasin, ils sont toujours débordés...

– Ouais... Comment se fait-il qu'ils n'en mettent jamais là, des robots, hein?

– Les automates servent à remplacer les gens, pas à les aider. (Il examina le visage de Walter à travers son casque.) Hé! mais c'est que tu crèves réellement de chaud, là-dessous!

– Fine observation.

– Tu n'as qu'à mettre du Mylar sur le thermo. Ça baisse le circuit de chauffage, sans esquinter la climatisation.

– C'est vrai? (Walter avait l'air vraiment surpris.)

– Non, mon gros, je viens de l'inventer... Mais... sans blague, je t'assure, reprit sérieusement Hughes, ce sont des gars du dernier niveau qui s'en sont aperçus, par hasard. Ils ne l'ont pas signalé, parce que la compagnie l'interdirait.

– Pourquoi?

Hughes fit une grimace sous son casque.

– Parce que ça fait consommer plus d'énergie aux scaphandres. Le Mylar fausse les informations du servo-régleur qui réagit comme s'il faisait plus chaud dehors. Résultat, il te donne plus d'air froid. La plupart des types le font.

Walter éteignit son cutter et s'approcha pour examiner le casque de Hughes.

– Ah oui, je vois le truc, dit-il. Et c'est tout ce qu'il y a à faire?

– Oui. Simplement, gratte-le bien avant de rentrer. Les contremaîtres peuvent s'en apercevoir. Pas de problème pour trouver du Mylar, il y en a plein la mine.

– Merci, dit Walter. Je vais essayer.

Ils échangèrent un sourire complice.

Le troisième mineur, Tarlow, était debout, à proximité. Les yeux fixés au sol, il marmonnait quelque chose, mais si faiblement que ses mots se perdaient dans le grésillement des parasites de l'intercom.

– Oooohh... Je hais les araignées... C'est... C'est plein d'araignées partout.

Il se mit à piétiner la plate-forme métallique, essayant d'écraser quelque chose d'invisible.

– Huit ouvriers par brigade, disait Hughes qui avait reporté son attention sur le rocher. C'est le contrat que la Con-Amalgamated a signé pour avoir les droits d'exploitation. Ils feraient bien de s'y conformer, sinon il va y avoir du grabuge.

– Peut-être que le délégué aurait intérêt à relire le contrat. Parce que son chèque de fin de mois, tu peux être sûr qu'il le lit avant de le créditer à son compte.

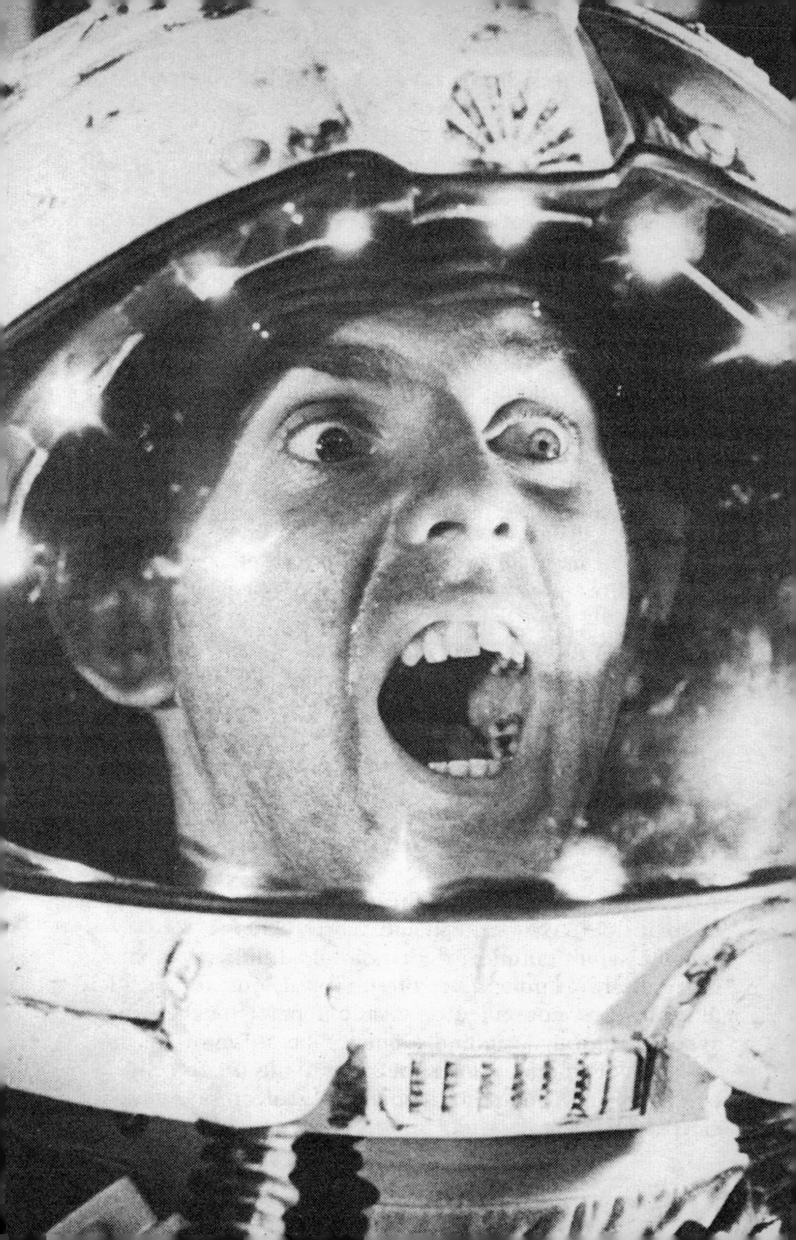

Walter s'interrompit, regarda derrière l'épaule de Hughes et fronça les sourcils.

– Hé! Tarlow, appela-t-il, à quoi tu joues?

Le mineur interpellé, cependant, sautait et trépignait de plus belle.

– Tuez-la! Pour l'amour du ciel, empêchez-la de monter!

– Quoi? fit Hughes qui venait de se retourner. Qu'est-ce qui t'en veut, mon vieux?

– Oh! mon Dieu! Je hais les araignées!

– Les arai... (Walter regarda Tarlow d'un air soupçonneux.) Tu te fous de nous? (Il jeta un œil à Hughes qui hocha la tête.)

– De Dieu, non! Barre-toi de ma jambe! Elle me monte dessus, NOOOON!

Tarlow avait cessé de taper du pied. De ses deux bras maladroits, il donna de furieux coups sur sa jambe gauche, s'acharnant sur quelque chose qu'il était seul à voir.

– Tarlow, qu'est-ce qui t'arrive? Qu'est-ce qui te gêne?

Les deux mineurs commençaient à trouver la situation de moins en moins comique.

– Une araignée! Au secours! Je vous en prie!

Tarlow ne grognait plus, il poussait des hurlements stridents, l'air totalement paniqué.

– Une araignée?

Hughes était inquiet, mais soucieux aussi de ne pas se faire mettre en boîte. L'humour, à la mine, était d'ordinaire aussi abêtissant que les conditions de vie et Hughes n'avait aucune envie de faire le mariolle pour satisfaire l'esprit douteux d'un collègue.

– T'es givré ou quoi? demanda-t-il au mineur apparemment affolé. Comment veux-tu qu'il y ait une araignée ici? Il n'y a pas un seul être vivant à part nous et aucun insecte n'aurait la moindre chance de survivre aux multiples décontaminations subies depuis la Terre.

– Il nous fait marcher, conclut Walter en se remettant au travail.

Tarlow se giflait maintenant la poitrine avec rage. Il roulait des yeux de supplicié, terrorisé par la mystérieuse vision qui se rapprochait.

– De Dieu de merde, enlevez-laaaaaa!

– Très drôle, Tarlow.

Hughes finit par se ranger à l'avis de son camarade. Tarlow s'amusait à leurs dépens. Il en rajoutait, nettement.

– Ça ne prend pas, arrête ton cirque et remets-toi au boulot. On a un quota d'équipe à faire, tu vas encore couler et, cette fois on n'ira pas te rattraper.

Tarlow ne répondit pas. Soudain il agrippa la base de son casque, près de la gorge.

– Elle rentre dedans, elle me rentre dedans! (Il fouaillait désespérément sa combinaison, se labourait l'épaule de ses doigts lourdement gantés.) Mais aidez-moi, nom de Dieu, arrrgh!

Il se pencha sur sa caisse à outils. Entre autres choses, celle-ci contenait un jeu de ces pointes de carbone acérées d'où jaillissait le rayon d'énergie pure qui entamait l'ilménite. Ces pointes devaient être aussi fines qu'une épingle, afin de délimiter un foyer convenable. Tarlow en prit une et commença à piquer avec insistance l'épaule de sa combinaison.

Hughes et Walter se réveillèrent d'un seul coup.

– Nom de Dieu, Tarlow... Arrête!!!

C'était trop tard.

Les combinaisons des mineurs étaient résistantes. Elles étaient faites pour endurer toutes sortes de dommages, pour faire ricocher les éclats de roc ou de métal, pour protéger l'homme d'un environnement hostile. Elles n'étaient pas faites pour supporter l'attaque délibérée d'un individu stimulé par l'adrénaline et armé d'un outil suraigu, en métal incassable.

Tarlow entailla sa combinaison au-dessus de l'épaule, près de la base du casque. La redoutable mèche déchira les quatre épaisseurs du vêtement. Ce qui suivit dura environ une seconde.

Hughes et Walter entendirent le terrible whoosh! de la fuite d'air dans leur intercom, le sifflement de la mort que tout ouvrier redoutait d'entendre un jour. Sous l'afflux brutal du sang qui voulait sortir des veines comprimées, le visage de Tarlow vira au cramoisi. Il n'eut même pas le temps de crier. Les yeux lui pétèrent hors des orbites et s'écrabouillèrent sur la vitre de son casque. Un flot de sang lui jaillit du nez, de la bouche, inonda son scaphandre.

Propulsé par la fuite d'air, le corps du mineur fit un bond en arrière et bascula par-dessus la rambarde de protection. Puis le cadavre culbuta au ralenti vers les ténèbres qui masquaient le fond du cratère. Il était toujours attaché à sa longe désormais inutile, grotesque bibendum oscillant dans le vide, comme animé d'une effroyable parodie de vie.

Hughes et Walter se penchèrent par-dessus la rambarde et regardèrent, muets de stupeur. Seul leur parvenait le murmure constant des centaines d'autres mineurs qui ignoraient encore l'accident.

2

Comparés aux quartiers du mineur moyen, ceux d'O'Niel étaient luxueux. Bien sûr, on ne pouvait rien faire pour camoufler la tuyauterie du système de ventilation. On voyait des conduites courir en haut des murs, constant rappel du fil ténu qui entretenait la vie sur Io.

Les murs étaient métalliques, d'une rudesse adoucie par endroits de plastique pastel. Il y avait des plantes en polyéthylène et des fleurs de soie, mais pas de bois. Le métal et le plastique étaient usinés à proximité, dans la zone industrielle de la station-relais. Il y avait pourtant quelques timides tentatives de vaincre la stérilité par l'imagination. En plus des bouquets artificiels, on voyait plusieurs chaises tapissées de couleurs vives, quelques objets personnels, des photographies encadrées sur un coin du bureau. La peinture humanisait beaucoup les lieux, réchauffait l'atmosphère et forçait l'environnement hostile à céder un peu de terrain, en idée du moins. L'appartement se composait ainsi : deux chambres à coucher, exiguës par rapport à ce qu'on trouvait sur la Terre, mais spacieuses à côté de ce qu'on réservait aux ouvriers d'Io; une autre chambre, plus intime, disposant d'une douche; une salle à manger jouxtant une kitchenette; un bureau et une entrée. Des meubles ordinaires eussent occupé tout l'espace vital; alors on avait tiré profit des murs au maximum. Tout effet décoratif était neutralisé : stylisation optimale excluant boiseries, laques ou miroirs, toutes choses de transport coûteux. Un des murs était occupé par un double écran vidéo relié à un terminal d'ordinateur, ainsi qu'à une console de contrôle d'environnement et de monitoring. Le fait que la chambre eût son propre système de climatisation témoignait du statut de son occupant. La masse des mineurs devait se contenter de la température et du mélange atmosphérique que l'ordinateur central jugeait bon de leur recracher.

Une femme mince, cheveux châtains, la trentaine, était en train de placer des gaufres réfrigérées dans un four à micro-ondes. Sa coiffure et son habillement, un tantinet trop mode, ne cadraient pas exactement avec l'ambiance des lieux. Carol était belle, d'une beauté un peu sauvage, un peu fanée aussi. Elle rayonnait encore mais montrait moins de classe qu'autrefois. Une sorte de tristesse émanait d'elle, une mélancolie, tout juste perceptible. Le plus triste, sans doute, c'est qu'elle faisait tout pour sauver les apparences.

Un garçon de onze ans, Paul O'Niel, suivait ses mouvements avec l'impatience commune à tout enfant alerte de cet âge. Ses yeux, toujours mobiles, montraient un savoir bourgeonnant quelque part en lui. Trop, peut-être. L'intelligence et la vivacité d'esprit dont il faisait preuve

étaient prometteuses. Mais parfois aussi, il témoignait d'un esprit très recherché, sophistiqué. Chez un gosse de cet âge, la sophistication est inquiétante.

Carol O'Niel vit son regard suppliant, plein d'espoir.

– J'arrive, je serai prête dans deux minutes, Paul, je te l'ai promis.

– C'est du truc au petit lait, qu'on a?

La voix, au moins, était claire et innocente, dépourvue de cette espèce de maturité anticipée qu'il avait acquise depuis deux ans. Voilà qui réjouissait sa mère. Il grandira bien assez tôt, se disait-elle.

L'espace perturbait les enfants, les précipitait brutalement de l'enfance à l'adolescence. Pas de ça pour son fils. Elle le voulait gamin, encore un peu.

– Ah, j'en ai bien peur, oui, répondit-elle.

– Yeack!

Réponse typique d'un garçon de onze ans, pensa-t-elle avec soulagement. Carol se retourna et, s'éloignant de la table, feignit d'examiner la minuterie du four pour lui dissimuler son visage.

C'est malheureux, pensait-elle, d'avoir un fils capable de si bien déchiffrer les expressions des adultes. C'est d'avoir été si tôt associé aux grandes personnes, aussi... Et puis, l'habitude de lire dans les yeux et sur les lèvres, à travers les scaphandres.

– J'ai essayé d'en parfumer à l'érable, lui dit-elle en guise d'excuse, mais ils en manquent au magasin. Des autres parfums aussi.

A onze ans, les enfants ont la merveilleuse faculté de sauter d'un sujet à l'autre sans la moindre transition.

– J'ai du mal à parler avec ces appareils, maman. Et puis, quand l'émetteur de la tour transmet aux vaisseaux, ça me fait mal aux dents.

– Allons, Paul, tu rêves, dit-elle d'un ton de léger reproche.

– C'est pas vrai, protesta-t-il. De toute manière, je n'arrive pas à parler comme il faut. C'est tout juste si le programme d'enseignement me comprend pendant les leçons.

– Je sais, je suis désolée. (Elle lui adressa un sourire compréhensif.) En tout cas, ça ne sera plus très long, en principe, ton programme de soins dentaires se termine.

Il redressa la tête.

– C'est vrai? Dans combien de temps?

– Très bientôt.

Elle se passa la main dans les cheveux.

– Mais quand ça? dirent-ils simultanément, Carol ayant anticipé la question de son fils.

Alors il lui sourit gaiement.

– Dieu qu'il a bon caractère, murmura-t-elle pensivement.

Jamais il ne causait le moindre ennui, et il en aurait eu parfaitement le droit, pourtant. Au cours des tests de routine qui avaient précédé leur transfert, le docteur l'avait jugé « un des pré-adolescents les mieux adaptés qu'il eût jamais vus ».

Carol savait pourtant qu'il étouffait dans l'ambiance de Io, aussi bien physiquement que moralement. Les couloirs et les rampes d'accès convenaient peut-être au développement des jeunes rats, pas des jeunes gens. Même le sourire encourageant du docteur n'avait pu le lui faire oublier.

– Quand ça quoi? demanda une voix nouvelle, familière elle aussi.

William Thomas O'Niel venait d'entrer dans la pièce et la traversait à grandes enjambées. C'était son pas naturel, il ne pouvait pas marcher autrement. Un véritable jogger pur-sang, cet homme-là. A le voir, on aurait cru qu'il allait à tout moment s'élancer au galop. Il avait une démarche d'athlète, déliée, presque liquide, et l'allure d'un homme de vingt ans plus jeune que son âge. Grand, sans être disproportionné, O'Niel avait cependant en lui quelque chose qui semblait trop massif pour être contenu par les sièges et les murs. C'était une qualité bien à lui, provenant, non de son regard, mais de la façon qu'il avait de considérer son entourage. Une barbe, plus claire et soigneusement taillée, ajoutait à cette impression générale d'énergie et de droiture. Il avait avant tout l'air de quelqu'un qui avait passé sa vie à l'extérieur, alors que c'était exactement le contraire. Il percevait les choses au delà de son environnement immédiat et cela, à son tour, se percevait dans ses gestes et ses yeux.

– Quand est-ce qu'on m'enlève mes appareils? demanda Paul avec un mélange d'espoir et d'inquiétude dans la voix.

O'Niel sourit. Il ne souriait pas qu'avec les lèvres, tout son visage s'illuminait. Un observateur aurait pu penser qu'il n'avait jamais appris à sourire correctement, ou que quelque chose le lui avait fait oublier. Il longea la table, s'approcha d'un écran vidéo et l'alluma. Puis il composa machinalement son code personnel, sans même regarder les touches.

– Tu veux avoir des dents en avant, comme un lapin?

– Je m'en fiche! répliqua Paul avec un culot tranquille. (Il se croisa les bras, l'air défiant.)

– Tu vas voir qu'il va t'en manquer une, de quenotte, d'ici peu, si tu ne manges pas ton petit déjeuner, gronda O'Niel avant de se retourner vers l'écran de monitoring.

Il avait programmé celui-ci en vidéo muette. Peu de terminaux possédaient cette faculté disjointe sur Io.

PROCEED, lisait-on, en lettres capitales. Il tapa la réponse nécessaire : O'NIEL W.T. Y A-T-IL DES MESSAGES? Aussitôt, l'ordinateur répondit : O'NIEL W.T. AFFIRMATIF. BANDE SONORE REQUISE. A VOUS.

TRANSMETTEZ MESSAGE, AUDIO-VIDEO, FAIBLE VOLUME.

Carol cessa d'observer son mari pour aller répondre à la sonnerie discrète du four. Elle ouvrit la porte et sortit les plats. Paul suivait des yeux les gaufres à la crème, tandis qu'elles descendaient, tels des envahisseurs d'Alien, vers son assiette. Elles baignaient déjà dans quelque chose qu'aucun odorat, même très peu évolué, n'aurait pu confondre avec du sirop d'érable. Il les contemplait fixement, regrettant que ses yeux n'eussent aucun pouvoir de désintégration. Il essaya de les faire disparaître en battant des cils, sans succès. Les deux gaufres reposaient toujours là, sûres de leur victoire. Carol soupira et, de sa voix la plus cajoleuse :

– Tu n'as qu'à faire semblant de croire que c'est du sirop d'érable, dit-elle.

Il leva les yeux vers elle.

– Tu n'as qu'à faire semblant de croire que je les ai mangées.

– Bon! Ça suffit comme ça, dit-elle, un peu plus fermement. Tu en as déjà mangé et tu les as aimées.

– Tu veux parier?

– Allez, jeune homme, tu peux les manger, si tu te concentres vraiment dessus.

Il prit un air résigné, tripota son couvert.

– C'est pas mon esprit, qui refuse, c'est mon estomac.

Il commença à pignocher à contrecœur, donnant de petits coups de fourchette désordonnés, d'une gaufre à l'autre. Son attitude était tout à fait celle des mineurs à l'encontre de la roche qu'ils travaillaient.

O'Niel, cependant, avait déjà passé en revue quelques messages de routine. Il s'arrêta sur une phrase, rembobina la bande et la fit repasser en petite vitesse. Puis il se carra dans le fond de son siège, croisa les bras et regarda attentivement le jeune homme parler sur l'écran.

– Marshal, c'est Lowell. L'équipe de nuit vient de rentrer. Pas de problème.

De temps en temps, le jeune agent de sécurité baissait les yeux sur son rapport. Bon, alors, quoi de neuf? se demandait O'Niel. Et comme s'il avait deviné les pensées de son chef, l'agent de sécurité répondit :

– A part ça, pas grand-chose. (Il avait l'air de s'ennuyer horriblement.) Juste une ou deux cuites. Ah, oui! Sur la porte du bureau de l'intendance, au dôme 9, il y a des marques de ciseau ou de couteau à l'endroit des gonds. On dirait une tentative d'effraction. Il n'y a pas de marque sur les verrous pneumatiques, ça doit donc venir de l'extérieur. Ou alors c'est tout simplement un gars qui en a marre et qui a décidé de se foutre de nous. On fera attention ce soir. (Il écarta ses notes et regarda hors du champ de la caméra.) Voilà, c'est à peu près tout. Vraiment calme; tout ce que j'aime. (Il montra un sourire un peu faux et ajouta :) Je serai au bureau à 6 heures. Si vous voulez, on peut installer un système de surveillance renforcée, pour cette effraction.

Carol aperçut le visage de Lowell par-dessus l'épaule de son mari, juste au moment où il s'effaçait de l'écran. Elle tendit à O'Niel sa tasse de café. Il s'abstint, pour une fois, de lui demander si c'était ou non du vrai café, plaisanterie éculée, non seulement chez eux, mais dans toute la mine. Les hypothèses concernant l'origine de ce qui passait pour du café suscitaient toutes sortes de spéculations, certaines bizarres, d'autres malheureusement exactes. Quelques gaillards dépourvus de goût prétendaient que c'était le seul produit ressortant sans altération aucune du système de recyclage de la station, ce qui expliquait sa force, sinon sa saveur.

Sur l'écran, l'image de Lowell venait d'être remplacée par celle d'un homme plus trapu et plus vieux.

– Ici Montone, marshal. On n'a rien de nouveau sur cet incident d'hier à la mine. Apparemment, c'est juste un pékin qui a eu une crise de folie subite. (L'assistant du marshal ne semblait pas particulièrement intéressé. La mort n'avait rien d'exceptionnel à la mine.) La compagnie fait rapatrier le corps... Enfin, ce qu'il en reste! Tout de suite, par la navette d'aujourd'hui. J'ai dans l'idée qu'ils ne tiennent pas à ce que les nouveaux arrivants voient ça de trop près. Je ne peux pas dire que je leur donne tort. (Il fit une grimace.) Bon Dieu, vous auriez dû voir la saloperie... Ils le ramènent dans une bouteille, au lieu d'un cercueil. Il valait mieux que le cadavre ne dégouline pas sur tout le chargement.

C'en était trop pour Paul. Il avait assez de difficultés comme ça à lutter avec ses gaufres. Aux derniers mots de Montone, le morceau qu'il tenait au bout de sa fourchette s'arrêta à mi-chemin de sa bouche. Il la reposa doucement sur son assiette, avec une expression signifiant clairement que le goût du petit lait et l'évocation de cadavre liquide n'allaient pas DU TOUT ensemble.

D'un ton blasé, Montone reprit :

– De toute façon, ce n'est pas un homicide. Il y avait des témoins juste à côté de lui quand ça s'est passé. Deux gars, ils ont tout vu.

– Pas de témoins des témoins?

– Je vois à quoi vous pensez, marshal... Non, non, impossible, ils n'auraient pas été lui entailler son scaphandre pour le pousser ensuite dans le vide, non. En plus, il y avait deux autres gars au niveau en dessous, qui bavardaient sur la même fréquence, et ils ont entendu tout le truc. Ils ont même vu la fin du bonhomme. Ils disent que les deux autres mineurs ont essayé de l'aider au dernier moment. J'ai parlé moi-même aux deux témoins. Ils avaient l'air vraiment retourné. Enfin, comme pour n'importe quel collègue, hein?... Ils se sont proposés spontanément pour qu'on leur fasse le sérum de vérité. J'ai estimé que ce n'était pas nécessaire.

– D'accord, murmura O'Niel. Ils se sont offerts spontanément, dites-vous? Ça n'est pas vous qui l'avez suggéré?

– Non, pas la peine. Je pensais qu'avec le témoignage des gars d'en dessous, ça les blanchissait tout à fait. (Il s'interrompit quelques instants, haussa les épaules et poursuivit :) Inutile de vous dire que ça arrive de temps en temps, ici.

– Je vois.

– Il y a des gens qui se laissent entièrement bouffer par la mine. (Montone se mordit les lèvres.) C'est quand même malheureux, remarquez. Et puis ça n'explique rien. Le gars s'appelait heu... Tarlow, je crois. Oui, c'est ça, lut-il sur ses notes. Sale coup, il avait presque fini son année.

– Vous avez pensé à une autopsie?

Montone hocha la tête d'un air navré.

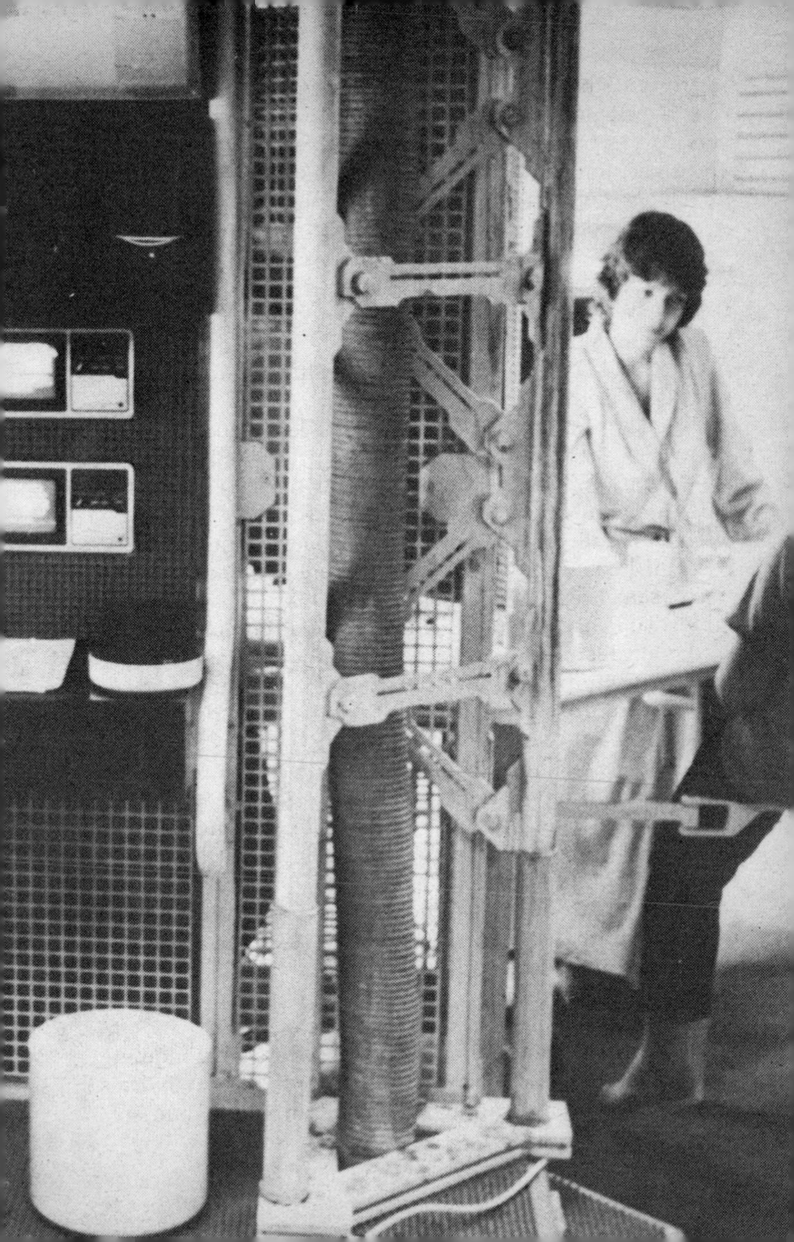

– Impossible, je vous dis. Trop dégueulasse. Bon, alors c'est à peu près tout. Ah oui, dites à votre femme que le service des transports a les billets qu'elle a demandés. Je vous verrai quand vous passerez au bureau. Ne vous faites pas de souci; vous vous y ferez. On s'y fait tous, n'importe comment; tôt ou tard.

Il conclut par un sourire de pure forme. Le vide se fit sur l'écran, puis apparurent ces mots : FIN DE MESSAGE O'NIEL W.T.

Lorsque Montone avait évoqué le service des transports, Carol O'Niel avait pâli. Elle avait toutefois retrouvé son sang-froid presque aussitôt.

O'Niel resta encore un moment, les yeux fixés sur l'écran vacant, puis il se leva et éteignit le monitor. Tout à son attention envers Montone, il n'avait pas vu la défaillance momentanée de sa femme.

– Quels billets? demanda-t-il, négligemment.

– Oh! heu... c'est pour M. et Mme Reynolds, répondit Carol sans s'émouvoir, pendant qu'elle débarrassait la table. Tu sais, le gentil couple de la boulangerie. Ils voulaient des places sur la navette, pour des amis à eux. (Elle prit une petite mine contrite.) Ils sont en bas de la liste prioritaire, alors je leur ai dit que je m'en occuperais. Ça a très bien marché.

– C'est gentil à toi. (Il vida sa tasse de café, ou ce qui en tenait lieu.) Il faut que j'y aille.

Puis il se leva et fit le tour de la table. Paul ne broncha pas sous le baiser paternel, quoique la barbe lui piquât les joues, comme d'habitude.

– Je te retrouve au dîner, minot. N'oublie pas ta cassette de maths. De deux cents à deux cent vingt.

L'enfant approuva de la tête.

– Promis! A condition que le programme comprenne mes solutions, ajouta-t-il avec une grimace.

– Tes appareils te gênent encore? Bon, ne t'inquiète pas. Il n'y en a plus pour bien longtemps. Tu ne voudrais tout de même pas grandir avec des dents en avant, si?

– Mais je suis le seul à en porter!

– C'est parce que... (Il s'arrêta, sur le point de dire : parce qu'il n'y a pas d'autre enfant ici.) parce que personne d'autre n'en a besoin dans les parages, c'est tout. De toute manière, tous les gens de la mine ont leur propre appareil.

Paul le regarda d'un air incrédule.

– Hein?

– Mais oui, évidemment, regarde les barres métalliques qui étayent les échafaudages et les treuils pour le gros-œuvre. (Paul écoutait, intrigué.) Eh bien, ce sont les prothèses de la mine, exactement comme la tienne. Sans elles, tous les murs de la mine seraient tordus, et les hommes seraient en danger. Exactement comme tes dents, si on enlevait tes appareils trop tôt.

– J'ai intérêt à les garder, alors?

– Il me semble aussi. (Il se détourna et se dirigea vers la porte.) N'oublie pas tes maths!

– Promis, papa!

Carol suivait le jeu entre père et fils, luttant pour contenir son émotion. Elle se précipita au-devant de son mari.

– Tu seras gentille aujourd'hui, hein? lui dit-il en l'embrassant doucement.

Elle lui rendit son baiser du bout des lèvres.

– Je tâcherai.

O'Niel était sensible à beaucoup de choses. Au mouvement des yeux, des mâchoires, aux moindres inflexions de la physionomie. C'est ce qui le rendait si bon dans son travail. Il la repoussa légèrement et la regarda bien en face.

– Ecoute, dit-il, je sais que ce n'est pas une mission de rêve. Je comprends ce que c'est pour toi, à quel point c'est difficile. Mais... essaye de le prendre du bon côté. Ça n'est pas si méchant que ça.

Elle lui retourna son regard.

– Je sais. Mais c'est que... c'est juste...

Les mots ne voulaient, ne pouvaient pas sortir. O'Niel attendait. Alors, incapable d'exprimer ses sentiments, elle haussa seulement les épaules. Il l'embrassa de nouveau, commentaire nettement plus apaisant que tout discours, et se retourna pour sortir.

– Bill?

O'Niel fit volte-face et Carol se jeta dans ses bras.

– Je t'aime.

– Allons, moi aussi. (Il la tenait serrée et lui souriait tendrement.) Bon, fais un effort. Il n'y a que deux semaines que nous sommes là. Ça va aller mieux, je te le promets. Tu sais, un endroit nouveau, c'est toujours un peu effrayant au début. Et puis, pense à la paye... Tu sais ce que mon dernier poste a rapporté. C'est surtout pour ça que j'ai accepté celui-là. Juste une année, une petite année ici et après, allez, peut-être que je me mettrai à la retraite.

Elle se recula, le dévisagea et secoua la tête.

– Tu n'arrêteras jamais, pas toi, Bill. Pas volontairement, en tout cas. Tu aimes trop ton travail.

– Tu trouves? (Il soupira.) Mmmm! En fait, je ne l'aime pas tant que ça. Simplement, c'est mon travail. C'est ce que je fais, et j'ai à cœur de le faire correctement. Bon, il faut que j'y aille. Tiens, tu sens bon.

Il lui caressa la joue d'un revers de main et elle se serra encore plus fort contre lui. Puis, soudain, il fut parti. Carol sortit sur le seuil et le regarda s'éloigner vers les rampes de sortie. Elle se transposait mentalement à l'extérieur, imaginait l'odeur des gaz délétères qui empoisonnaient l'atmosphère de Io, l'odeur âcre du soufre et bien pire encore. Il y avait une atmosphère, sur Io, raréfiée, mortelle, un mélange gazeux vomi par d'imprévisibles éruptions volcaniques, et qui allait se perdre peu à peu dans les vents galactiques.

Elle ferma la porte et retourna s'occuper de son fils.

La cafétéria était vaste, peu attrayante et bondée. Des travailleurs, aux attitudes diversement lasses, se frayaient un chemin avec leur plateau, le long d'un présentoir chargé de plats fumants. Les tables, les chaises et les murs du réfectoire étaient faits d'une même matière plastique terne. Des rampes de néon suspendues au plafond diffusaient une lumière crue et constante. La stérilité du décor, cependant, était en quelque sorte compensée par la richesse des conversations. Des groupes de mineurs, assis ou faisant la queue, échangeaient des propos salaces dans des langues variées, de grosses blagues où dominait l'éternel cocktail de bouffe et de sexe, inchangé depuis plus de trois mille ans. Il n'y avait que la façon de le dire qui changeât, les mots d'argot, et puis une ou deux adjonctions récentes ayant trait à l'apesanteur et à l'air en boîte. Des ouvrières se joignaient à ces bandes de gogos, s'esclaffant autant qu'eux.

D'autres formaient des groupes séparés. Un assortiment de bouteilles d'épices et de condiments était à la disposition des clients sur les tables. Comme la nourriture était invariablement fade, ces épices permettaient aux travailleurs d'individualiser leurs goûts, lesquels se révélaient beaucoup plus variés que les menus du chef. Un morceau de viande, c'est toujours un morceau de viande, d'où qu'il vienne, mais le sel et le poivre peuvent lui donner une saveur et le curry une autre, très différente.

Hommes et femmes continuaient à défiler; ils prenaient leurs plateaux à l'entrée et se mettaient sagement en rang, en attendant de se servir. Tous, sauf un homme. Après être entré, passant la queue, il se dirigea vers les tables du fond. Il était grand, le visage émacié, les cheveux clairs, et rasé de près, contrairement aux nombreux travailleurs qui l'entouraient. Ses orbites paraissaient anormalement creusées dans sa tête. Il avait les cheveux coupés très court et le devant du crâne dégarni. Il semblait chercher impatiemment quelque chose. Soudain, ses yeux s'allumèrent à la vue d'un mineur de petite taille, assis tout seul et en retrait. Ce dernier le regarda à son tour, puis détourna les yeux. Apparemment, il ne s'était rien passé entre eux.

Quelques minutes s'écoulèrent. L'ouvrier solitaire finit

son café, se leva et gagna sans hâte la sortie. Quelques instants plus tard, le premier individu traversa la foule avec désinvolture, négligeant de répondre aux saluts qu'on lui adressait; puis il disparut, par la même porte.

A côté du réfectoire se trouvait le vestiaire central, labyrinthe d'allées étroites bordées d'une suite sans fin d'armoires métalliques. Etagères, cintres et casiers étaient du même matériau que les tables et les chaises de la cafétéria. La fonction des lieux était différente, les formes variaient sensiblement, et tout cela provenait finalement de quelque bloc de ferro-nickel dérivant à mi-chemin de Mars et de Jupiter. C'était vertigineux de penser qu'un malheureux bout d'astéroïde avait attendu quelques milliards d'années-lumière, à nager dans le vide, pour qu'une fourmilière de bipèdes inventifs rapplique un beau jour et la transforme en tuyau de vidange ou en portemanteau. Les vestiaires étaient nettement plus silencieux que la cafétéria. On n'y trouvait pas, comme là-bas, de quoi alimenter les conversations, en même temps que les estomacs. En outre, l'endroit était destiné à faciliter le travail, non les loisirs. Des hommes ôtaient ou enfilaient leur combinaison autonome. Les femmes avaient leur vestiaire à elles. Ceux qui mettaient leur scaphandre parlaient plus vite et nerveusement, essayant de masquer leur appréhension de s'exposer une fois de plus à la surface de Io.

L'étroitesse des allées laissait bien peu de place pour se changer et manipuler les lourdes combinaisons. Chacun s'arrangeait comme il pouvait. Les plus petits étaient favorisés. Ils évoluaient plus facilement et, à l'extérieur, leur réserve d'oxygène durait plus longtemps.

L'homme qui avait éclusé son café avant de sortir de la cafétéria descendait une allée pour gagner son armoire. Il mit quelques secondes à déverrouiller sa porte. Comme il avait pressé le pas en sortant de la cafétéria, l'homme aux yeux caves se trouvait à peu de distance derrière lui. Bientôt ils se rejoignirent et engagèrent une conversation à voix basse, mais qui ne semblait pas très amicale. Puis, furtivement, ils échangèrent quelque chose.

Aussitôt après, ayant glissé la chose dans son casier, le client de la cafétéria se hissa dans son scaphandre, boucla son armoire, et gagna la passerelle d'accès à la mine. Pendant ce temps, son furtif compagnon s'éclipsait après avoir fait le tour du vestiaire par une autre allée.

Le tout n'avait pas duré une demi-minute.

3

La cafétéria des mineurs n'était pas le seul endroit où l'on servît à manger. Il y en avait un autre à côté, quatre fois plus petit. Les tables étaient plus légères, plus espacées aussi, ce qui aérait les lieux. Il y avait des nappes, de vrais couverts, des serviettes, bref, un certain décorum.

L'éclairage, tamisé et indirect, distillait un paisible demi-jour. Il y avait même des gens pour nettoyer les tables. Une quarantaine d'individus occupaient la salle. Ils buvaient du café, du vrai café, du thé, du soda ou fumaient silencieusement une cigarette. Quelques-uns avaient les yeux fixés sur un large panneau qui retransmettait en permanence la position de la navette hebdomadaire. Sur le mur du fond dominait l'emblème de la compagnie, série de cercles concentriques placée dans un rectangle avec les lettres CON-AM à l'intérieur.

Il y avait un homme à une table, un homme qui, à première vue, ne se distinguait en rien des autres. Il était juste un peu plus corpulent que la moyenne, chauve, mais barbu, les yeux noirs. Son attitude était apparemment indifférente. Son visage avait quelque chose de faussement chérubin, d'hypocrite. Il n'avait rien d'un athlète, mais on avait quand même l'impression qu'il était vif à la détente. L'air d'un gros renard, ou d'une hyène, en tout cas d'un être dangereux parce que capable de contrôler parfaitement sa férocité.

Ainsi, pour l'instant, l'homme était affalé sur sa chaise, l'air plutôt détendu, mais vigilant. Ses yeux passaient lentement en revue l'assemblée, laquelle écoutait attentivement le seul homme qui fût debout parmi eux. Cet homme était O'Niel et il était en train de faire quelque chose qui ne le réjouissait pas particulièrement : un discours.

– ... Dans le fond, expliquait-il, je me rends compte que je suis encore nouveau ici. Il va falloir que j'apprenne à vous connaître et vous de même. Il y aura des moments où nous ne verrons pas tout du même œil. Le moins possible, j'espère. Je suis persuadé que nous pourrons travailler ensemble, sans problème. (Il risqua un sourire qui fut accueilli par un silence sépulcral.) Enfin, j'espère que je mériterai la confiance qui... qui m'est échue.

Suivit un pesant silence. On n'entendait plus que le bruit des tasses sur les soucoupes. Quelqu'un toussa discrètement.

– Merci, conclut O'Niel, et il se rassit.

Un calme gêné pesait sur toute l'assemblée. O'Niel se pencha et, au sergent qui était à côté de lui, chuchota :

– Je les ai réellement pétrifiés.

– Oui, ce n'est pas un franc succès, répondit Montone avec un sourire tordu. Mais vous savez, ils sont saturés de ce genre de baratin. N'oubliez pas qu'ils aimeraient mieux être en train de s'envoyer en l'air chez eux. C'est leur temps de repos, en ce moment.

– Y a-t-il des questions?

Celui qui avait fini par se décider était un gros gaillard bouclé, assis à la droite d'O'Niel. Sheppard ne savait pas murmurer et ses mots résonnèrent dans le silence de la pièce. Il n'hésitait jamais à rompre la glace le premier. Si ça lui chantait, il pouvait rompre n'importe quoi.

Quelques personnes se trémoussèrent au fond de la salle. Malgré tout leur talent, toute leur science, les gens présents réagissaient tout à fait comme une bande de collégiens attendant patiemment que le professeur relance le débat.

Finalement, une femme d'un certain âge leva la main.

– Marshal, heu... Flo Steiner, service comptabilité. (Elle regarda alentour, comme pour chercher l'appui d'un collègue.) Je suis sûre que je me fais le porte-parole de tous ceux qui sont ici en vous souhaitant la bienvenue, ainsi qu'à votre famille. S'il y a quoi que ce soit dont Mme O'Niel ou votre fils ait besoin, dites-leur de s'adresser à moi. Si je ne peux pas les satisfaire, je connaîtrai certainement quelqu'un de compétent.

O'Niel lui adressa un sourire reconnaissant, heureux de trouver une personne qui eût au moins un semblant d'affabilité. Bien sûr, du fait même de sa fonction, il ne pouvait guère compter sur un débordement d'affection. Mais il n'avait jamais pu se faire à la froideur des gens, bien qu'il eût souvent pratiqué ce genre de meeting d'accueil.

– Merci beaucoup, madame Steiner, je n'y manquerai pas.

Il parcourut la salle du regard, guettant d'autres interventions. L'ennui se lisait sur tous les visages. Ils semblaient prêts à tout, pourvu que cela mît fin à cette rebutante confrontation.

Sheppard prit les devants de nouveau.

– Bon, je vois qu'il n'y a pas d'autre question. (Il jeta un œil vers O'Niel et se composa un sourire.) Je voudrais juste ajouter moi-même un mot de bienvenue. Vous serez tous d'accord avec moi pour souhaiter au marshal O'Niel une mission plaisante et sans trop d'incidents. Nous savons qu'il vient d'arriver. Il faut un certain temps pour s'acclimater à Io, même pour ceux d'entre nous qui ont déjà signé des contrats avec la Con-Am. Mais d'ici peu, le marshal se rendra compte que ce n'est pas pire que n'importe quelle cité minière. Dans l'ensemble, il y a très peu de problèmes de sécurité.

– Tant mieux, tant mieux, je n'aime pas les incidents.

Montone se tortillait sur sa chaise, le regard ailleurs. Sheppard poursuivit :

– Souvenez-vous seulement que ces gens travaillent

dur, très dur. Depuis que je suis votre directeur général, la mine a battu tous les records de productivité. Nous sommes en passe de devenir la station pilote du programme d'implantation spatiale de la Con-Am et la prime que chacun de vous a reçue en fait foi. Il n'y a pas une seule mine qui puisse se prévaloir de meilleurs résultats que les nôtres. Je souhaite continuer sur cette voie. Pour faire du bon travail, il faut des travailleurs pleinement satisfaits. (Il eut un sourire, moins artificiel, cette fois.) Alors ma formule est la suivante : je leur demande beaucoup et je leur donne beaucoup.

O'Niel ne broncha pas pendant la pause qui suivit, il continuait simplement d'observer Sheppard. Le manager poursuivit :

– Alors, quand vient le temps de lâcher un peu de lest, il ne faut pas hésiter. Compte tenu de l'effort qu'ils fournissent dans le cratère, ils y ont bien droit. (Il se tourna vers O'Niel.) Vous voyez ce que je veux dire, hein, marshal, donnez-leur un peu d'air.

Il y eut encore un pénible moment de silence total. Montone aurait fait n'importe quoi pour se trouver ailleurs. La réponse d'O'Niel, quoique peu compromettante, le rassura.

– Merci du conseil, monsieur Sheppard.

– Nous sommes tous des professionnels, ici, ajouta le manager avant de se rasseoir.

– Je n'en doute pas.

– Vous viendrez à mon bureau, nous bavarderons un peu.

– Entendu. (O'Niel s'était levé.) Je vous laisse, on m'attend au central.

Les gens commençaient déjà à quitter la salle. Personne ne vint lui serrer la main ni le saluer. Il n'en fut pas surpris. Vieille habitude.

Dès qu'il fut dans le couloir, O'Niel donna libre cours à sa colère. Non pas en cognant sur les murs de préfab ou en lâchant une bordée d'injures, non, simplement, les muscles de son visage se contractèrent et il allongea le pas, jusqu'à faire claquer ses boots sur le sol avec beaucoup plus que l'énergie nécessaire au transport d'un homme. Le corridor où ils entrèrent, Montone et lui, vibrait sous ses pas. Le sergent devait faire un effort pour suivre son chef.

– Hé! Doucement! vous allez vous flanquer par terre...

O'Niel ne répondit pas et continua à la même allure. Il fonçait droit devant lui, ignorant les spots lumineux qui jalonnaient le plafond de la galerie.

– Mais qu'est-ce que c'est que ce cirque? s'exclama-t-il enfin. (Puis, imitant la voix de Sheppard :) Donnez-leur un peu d'air, vous voyez ce que je veux dire, marshal...

– C'est son style, fit Montone d'un ton rassurant. Un peu de bluff pour la galerie, voilà tout. Il paraît qu'il fait pareil, chaque fois qu'il accueille un nouveau marshal. Mais il ne vous visait pas particulièrement, il est comme ça, c'est tout. Vous savez bien comme ils sont, souvent, hein, tous ces big boss.

– Eh bien, moi, je n'aime pas son style, prononça O'Niel à mi-voix.

– Vous n'êtes pas le seul. Il n'est apprécié que des financiers; à la direction de la Con-Am, par exemple, comme il a des résultats, ils sont contents de lui, c'est tout ce qui leur importe. Je vous conseille de ne pas vous accrocher avec lui.

– C'est un merdeux.

– Oui, mais un merdeux très puissant. Ne lui cherchez pas les poux, je vous dis. Réservez-vous pour les voyous du club.

Ils poursuivirent leur chemin en silence. Le corridor se terminait par un sas à verrouillage de sûreté. O'Niel glissa une carte perforée dans la fente pratiquée près de la porte, celle-ci s'ouvrit et ils pénétrèrent dans la zone C. L'accès de ces bâtiments était sévèrement filtré. Il fallait montrer patte blanche. Entre autres sections importantes, ils abritaient le Central de sécurité. Il y avait une prison, fort conforme à l'exiguïté générale, ainsi que des cellules spéciales à gravité contrôlée; puis une petite salle de réunion, un Q.G. de surveillance avec un monitor audio-vidéo, beaucoup plus élaboré que le double terminal d'O'Niel, une pièce réservée aux interrogatoires, et quelques bureaux cloisonnés de verre dépoli. Sur la porte de l'un d'eux, on lisait : Federal District Marshal W.T. O'Niel.

Les deux hommes s'engagèrent dans le central, Montone toujours à la traîne, derrière son supérieur.

– Il essaye juste de vous intimider. (Montone devint plus loquace en passant devant les cellules de contention.) Le dernier marshal avant vous faisait les choses en douceur. C'est tout ce qu'ils demandent. Quand ça baigne dans l'huile, ils font leur chiffre d'affaires et tout le monde est content. Personne ne vient ici en voyage de noces ou pour les beautés du paysage. Je veux dire, ne vous mêlez pas des grosses têtes de la maison. Veillez juste à ce que ça ne chahute pas trop et vous verrez que tout le monde sympathisera avec vous. Enfin, à part Sheppard. Il ne sympathise avec personne. Mais les faces d'œuf de tout à l'heure seront aux anges. Ils ne sont pas encore très sûrs de vous.

Ils traversèrent la salle des ordinateurs; plusieurs jeunes agents se levèrent au passage d'O'Niel. Celui-ci les ignora et fonça vers son bureau. Peut-être ne les avait-il même pas remarqués. Ses pensées étaient ailleurs. Il referma silencieusement la porte derrière lui. Il avait des rapports à vérifier, des notes de service à contresigner et divers dossiers qu'il lui fallait malheureusement éplucher pour mieux se familiariser avec la configuration générale de la mine. Et il tenait à le faire seul, pour qu'on ne le voie pas ronchonner.

Un des jeunes vigiles colla son nez à la cloison opaque puis, se tournant vers Montone :

– Alors, celui-là, qu'est-ce que vous en dites, sergent?

– O'Niel? (Montone s'approcha du jeune flic.) Un peu tôt pour juger. Tranquille, plutôt réservé. Pas du genre à vous inviter à taper le carton, en tout cas. Pas antisocial non plus, voyez, tranquille, simplement. (Brusquement il se retourna et, désignant les relevés de surveillance lovés au pied de l'ordinateur :) Bon, assez de psychanalyse. Quoi de neuf sur cette tentative d'effraction de la nuit dernière ?

Le mineur s'appelait Cane. C'était un jeune blond élancé, aux yeux pâles, la barbiche irréprochablement taillée et tout l'air d'un prêtre fraîchement sorti du séminaire. Sa physionomie trahissait ses origines scandinaves, mais ça ne voulait rien dire, sur Io la métissée. D'où vous veniez, à quel peuple vous apparteniez, ce que vous faisiez avant, ça n'entrait jamais en ligne de compte. Il n'y avait que la façon dont vous faisiez votre boulot qui importait. Pour le moment, la figure de Cane rayonnait de sérénité. Il avait la bouche entrouverte, en un demi-sourire enfantin. On aurait cru qu'il venait de passer une semaine dans le harem d'un pacha turc sans l'avoir dit à personne.

Il faisait encore clair dehors. Les vestiaires étaient pratiquement déserts, l'équipe de jour ayant fait son temps et celle de nuit étant déjà au travail, sauf quelques traînards. Personne n'aperçut Cane, alors qu'il remontait l'allée, le sourire aux lèvres.

Tout au bout des vestiaires, il y avait une aire de rassemblement où se regroupaient les mineurs avant d'accéder à leurs postes.

Des tubes d'acier coudés saillaient du mur, comme des cornes de cérambyx, à quoi pendaient casques et combinaisons. Enfin, au fond de cette salle, il y avait une porte étanche à double épaisseur, bordée d'un tableau de commande avec des consignes d'utilisation. Sur la porte elle-même, on lisait :

ATTENTION – ZONE NON PRESSURISEE – PORT DU SCAPHANDRE OBLIGATOIRE.

Cane se pencha, les mains dans le dos, et regarda à travers le petit hublot percé dans le sas. Ce dernier était vide et brillamment éclairé. Cane appuya sur un bouton, la porte s'ouvrit sans bruit et il se glissa à l'intérieur. Puis, après avoir brièvement inspecté le tableau de commande, il actionna la fermeture du sas.

Il fallait déclencher plusieurs commutateurs pour s'assurer de l'étanchéité du verrouillage pneumatique. La fragilité de la vie sur Io voulait que tout ce qui eût trait à l'air soit doté d'une chaîne de contrôles. Cane était très méticuleux.

Quand il fut certain d'avoir suivi correctement les instructions, il porta son attention vers une autre rangée de boutons et appuya sur l'un d'eux. Il y eut un léger grincement, l'ascenseur de la mine commença à s'élever. De l'autre côté de la cage attendait un petit groupe d'hommes et de femmes, revêtus de leurs combinaisons; les blagues et les plaintes habituelles allaient bon train, mais elles cessèrent tout d'un coup lorsqu'un des mineurs eut la curiosité de regarder à travers le hublot et qu'il vit Cane debout dans le sas. Ce n'était pas la présence de Cane qui avait jeté un froid parmi eux, c'était le fait qu'il ne portait pas de scaphandre. Ils se mirent à tambouriner contre la porte et à crier. Cane, les voyant s'agiter, leur sourit paisiblement. Il avait coupé le son à l'intérieur du sas et leurs cris frénétiques ne l'atteignaient pas. De toute façon, mentalement, Cane s'était déjà retiré du monde.

Cependant, les coups redoublaient contre la porte et le hublot. Le martèlement résonnait dans le sas à tel point que Cane finit par se dire que ce serait peut-être gentil, s'il répondait. Alors il leur fit un sourire angélique et agita les mains. Il y eut un signal sonore, annonçant l'arrivée de l'ascenseur. La lourde porte glissa de côté et Cane entra, sans la moindre hésitation. Il accorda un dernier sourire aux silhouettes qui gesticulaient derrière le sas. Le visage de Cane leur fut un instant masqué quand la porte se referma, puis ils l'aperçurent de nouveau à travers le hublot. Dans la cabine, Cane examina la nouvelle colonne de boutons qui s'offrait à lui, en choisit un et appuya dessus. Chouette, ce bouton, pensait-il, et chouette, l'ascenseur, aussi.

De l'autre côté du sas pneumatique, les mineurs voyaient, impuissants, la figure de Cane disparaître, à mesure que l'ascenseur plongeait vers la mine. Ils ne pouvaient rigoureusement rien faire, car toutes les commandes de la cabine étaient placées dans le sas, lequel avait été scellé de l'intérieur. L'un d'eux eut la brillante idée d'appeler le Central pour faire couper le courant en amont. Un collègue dut lui rappeler que les ascenseurs étaient alimentés par un circuit indépendant, afin d'assurer leur fonctionnement en cas d'urgence.

– Merde, au temps pour moi! fit l'ouvrier, et sa voix siffla dans les haut-parleurs de ses compagnons. (Il leva la main et frotta la vitre de son casque.) Ça serait bien qu'ils inventent un truc pour se frotter le nez, dans leurs trucs...

– Oui, il serait temps, renchérit un autre, d'un ton las. A ce moment-là, faudrait qu'ils ajoutent un autre bras servo-moteur à l'intérieur. Encore heureux qu'ils aient prévu de la nourriture.

– De la nourriture? reprit un troisième mineur, et il fit entendre un gros rire de dérision. La bouillie qu'ils te font téter, tu appelles ça de la nourriture?

Ils battaient la semelle, attendant que l'ascenseur remonte et les emporte vers leurs postes respectifs. Au-dessus de la porte, des voyants lumineux clignotaient, annonçant la progression de la cabine. D'abord niveau zéro, puis Compression, Atmosphère, puis niveau un, deux, trois. Enfin, le chiffre du niveau quatre s'alluma. L'ascenseur s'immobilisa. La porte glissa de côté. Quand les mineurs aperçurent ce qu'il y avait à l'intérieur, plusieurs furent pris de nausée.

O'Niel était fatigué. Surprenant, comme ce pouvait être épuisant d'assurer la sécurité d'une petite communauté isolée comme Io. Maintenir le calme à la mine était comme de faire des montagnes russes avec un Thermos

STOR:LeveL:

de nitroglycérine dans les bras. Il fallait prévoir les creux et les bosses et réagir avant de les atteindre. A défaut, on risquait d'être balancé du mauvais côté et projeté hors des rails. Au moins, sa journée de travail était-elle achevée. La porte automatique de son appartement s'ouvrit devant lui et il jeta un œil alentour. Tout semblait paisible et silencieux. Il soupira de soulagement.

O'Niel restait sur place et soudain, il fronça les sourcils. Il régnait quand même un bien grand calme ici.

– Paul?

Il n'y eut aucune exclamation en réponse, pas de « Papa! » joyeux, ni rien. Seul lui parvenait le souffle presque imperceptible des bouches à oxygène.

– Hé! Paulie! (Il hésita, puis :) Carol?

O'Niel attendit un long moment, le cœur battant. Une rapide inspection lui montra que personne ne se cachait dans la chambre à coucher. Bon, se dit-il, peut-être sont-ils partis voir quelqu'un. Il se souvint de la proposition de la dame... Mme Steiner, oui, Mme Steiner, lors du meeting. Sans doute avait-elle appelé Carol qui était partie avec Paul pour se faire des amis. Pas des amis de son âge en tout cas, les colonies comme Io n'accueillaient guère d'enfants. A cette dernière pensée, il commença à s'inquiéter. Ils pouvaient être absolument n'importe où. Carol avait peut-être emmené Paul faire des courses.

Il y avait quelques rares concessionnaires privés, sur Io, la boulangerie, par exemple. Cela faisait une agréable diversion à l'ordinaire des cantines, autant pour les ouvriers que pour l'encadrement. Oui, c'est ça, conclut O'Niel mentalement, ils sont allés faire des courses. Il pouvait difficilement leur en vouloir.

En attendant leur retour, il pouvait toujours aller voir s'il n'y avait pas un message pour lui. Il retourna au salon, regarda partout une dernière fois afin de s'assurer qu'ils ne se cachaient pas pour lui faire une surprise, puis il s'approcha du monitor vidéo et composa son code sur le clavier. PROCEED.

O'Niel tapa machinalement sa question. O'NIEL W.T.

MESSAGES? AFFIRMATIF, répondit la machine. Il mit en marche la commande vidéo et l'écran s'anima. Comme il l'avait espéré, la première chose qu'il vit fut le visage de Carol. Il savait qu'elle ne serait pas sortie sans lui dire ce qu'elle allait faire. Mais son expression lui fit peur. Elle semblait sur le point de fondre en larmes, reniflant constamment, détournant les yeux, luttant pour exprimer quelque chose qui lui résistait.

– Je... J'essaye de... garder mon sang-froid, disait-elle, et... comme tout ce que je fais, j'ai l'impression que ça rate complètement. (Elle prit une grande inspiration et le sourire qu'elle affichait parut encore plus faux.) Je déteste ces trucs à message. C'est trop facile. Mais, je... tu comprends, je suis tellement lâche. Si j'étais devant toi, là, en personne, je n'arriverais jamais à te dire tout ce que j'ai à te dire. Si tu étais en face de moi, je changerais d'avis, et c'est ça que je ne veux pas. (Elle s'interrompit, le temps de souffler dans son mouchoir. O'Niel tâtonna derrière lui, tira une chaise et s'assit lentement. Il n'avait pas quitté l'écran des yeux.) Je t'aime, disait maintenant la voix distante de Carol, je t'en prie, crois-moi. (Nouvelle pause, pour s'essuyer les yeux avec son mouchoir.) Ce n'est pas prémédité... Je n'avais vraiment pas prévu de faire ça. (Elle se pencha en avant.) Regarde-moi. J'ai besoin de ton approbation. (Elle se moucha encore, regarda alentour, en l'air, à ses pieds, ne voyant rien, osant à peine lui faire face, malgré la neutralité de l'objectif.) Mon Dieu... Je ne supporte plus ce genre de palabres. C'est trop lassant, nous avons mis ça sur le tapis je ne sais combien de fois. A chaque fois, j'ai pleuré et à chaque fois, tu m'as promis que ta prochaine place serait différente. Et voilà, c'est encore un nouveau poste, Bill, et il n'est pas différent. Il ne peut pas l'être, sinon en pire. (Ses yeux errèrent un instant, puis elle les reporta sur lui.) Alors hier, il y a quelque chose qui a fait tilt en moi. Je ne supportais plus de voir Paulie tourner en rond dans ces couloirs sinistres. Il n'a pas d'amis. Depuis qu'il est né, il n'a pas cessé d'être trimbalé dans des endroits tous plus sordides les uns que les autres, à raison d'un ou deux par an. C'est un enfant, et il n'a jamais mis les pieds sur Terre. Jamais. Il passe ses journées à lire des textes et à regarder des images de la Terre et après ça, il les cache, il décode l'enregistrement pour ne pas te faire de peine. (Elle esquissa un pâle sourire.) Tu sais de quoi il parle tout le temps? D'arbres. Pas de l'Afrique, de sport, de fusées ou de jeux électroniques, non, d'arbres. Il n'a jamais vu un seul malheureux arbre de sa vie, Bill. Et pourtant, il aime son père, il ne se plaint jamais, même s'il se sent mal, même s'il souffre. Ah ça, Dieu sait qu'il n'est pas comme sa mère, ça non...

O'Niel était immobile, calé au fond de son siège, le menton posé sur ses mains croisées. La lumière de l'écran éclairait son visage. Il semblait relaxé, mais tous ses muscles étaient contractés.

– Tu ne comprends donc pas qu'il a besoin de vivre son enfance, poursuivait Carol. Une véritable enfance. Qu'il a besoin de respirer l'air, l'air libre, non recyclé et dans un cadre où on ne risque pas de rôtir, de geler ou d'exploser à chaque instant; un air qui sente la vie et pas l'huile de ventilateur. Toi, tu penses que ça vaut la peine, que tu vas où on te dit d'aller. Travail-sécurité, sécurité-travail, c'est tout ce qu'il te faut. Eh bien, moi, je n'ai pas ta foi inébranlable, je ne vois pas les choses ainsi, Bill. La seule chose que je vois, c'est cette maudite cité minière, qui ressemble absolument aux autres. La compagnie est la même, la violence est la même, ce sont les mêmes gens stupides qui règnent. Je ne crois pas que le jeu en vaille la chandelle.

O'Niel serra les dents, un tic convulsif fit frémir les muscles de ses mâchoires. Carol n'avait pas tout à fait fini. Sa voix s'adoucit un peu :

– Alors je ramène Paul à la maison. La maison qu'il n'a jamais eue, le vrai foyer auquel il a droit. Je t'aime Bill. Tu ne mérites pas un coup pareil. Tu mérites mieux, mais... il faut que j'y aille, mon amour. Je serai rentrée d'ici quelques jours.

Elle regarda droit vers la caméra, essayant manifestement d'ajouter quelque chose. Elle n'y arrivait pas. Ses yeux étaient gonflés et des larmes commençaient à couler sur ses joues. Elle déglutit, tenta vainement de sourire et acheva par un petit geste du bras résigné et pathétique.

Des lettres apparurent, neutres, terriblement impersonnelles. FIN DE MESSAGE O'NIEL W.T. O'Niel restait assis, les yeux fixés sur l'écran, incapable de tendre le bras pour couper l'ordinateur, comme paralysé par cette formule qui clignotait devant lui.

Comme chaque matin, Montone faisait son briefing avec les vigiles et contrôlait la liste des mineurs au travail. L'appel nominal n'était pas vraiment nécessaire, c'était plus une formalité qu'autre chose. Si quelqu'un était absent à la mine, c'était archi-simple de le chercher; il n'y avait guère d'endroits pour se cacher.

O'Niel alla s'asseoir au fond de la salle, écoutant ce qui se disait d'une oreille distraite. Il avait l'air ailleurs.

– O.K., dit le sergent, alors quoi de neuf? (Il consulta la planchette d'acrylique sur laquelle étaient inscrites ses notes et leva les yeux vers un des jeunes agents.) Bon, Ballard, notre zone sous surveillance, après l'effraction de l'autre soir, qu'est-ce que ça donne? C'était votre job, non?

Le jeune homme approuva de la tête.

– Nous avons eu une retransmission de toute la section sur le monitor pendant trente-six heures. C'est resté aussi tranquille qu'une crypte. Les patrouilles sur place n'ont rien donné non plus. Pas d'empreinte, pas un mouvement, pas une odeur corporelle, rien.

– Parfait, approuva Montone. Continuez la surveillance; monitor pendant deux semaines, et espacez les patrouilles. Peut-être que le coupable a été effrayé par tout le remue-ménage. Vous êtes sûr que la caméra est bien cachée?

– Il faudrait de l'outillage pour la découvrir, je l'ai installée moi-même.

– Bien.

O'Niel mâchonnait un stylo, sans faire attention à la discussion. Montone détourna les yeux du marshal et s'enquit d'un problème plus sérieux.

– Nelson, et ces détonateurs?

– On les a retrouvés, répondit l'agent de sécurité.

– Où?

– Je ne sais pas; le contremaître du niveau où ils avaient disparu a fait savoir qu'on les avait retrouvés... sans plus. Il a dit de ne pas s'en inquiéter.

– Nelson, il s'agit de détonateurs nucléaires. On ne les perd pas et on ne les retrouve pas comme ça, du jour au lendemain. Ça arrive avec un peigne, un briquet, mais pas avec des détonateurs. Je veux savoir où ils ont été trouvés, par qui et s'il y avait quelqu'un dans les environs quand on les a trouvés. Vu?

Il jeta un regard significatif à l'agent.

– Oui, sergent.

La cote d'alerte de Nelson paraissait soudain en hausse de cinquante pour cent.

– Bon, et le club? reprit Montone en se retournant vers l'ordinateur.

– Rien d'anormal. (Le jeune flic se passa la main dans les cheveux, l'air pensif.) Le cirque habituel. Ah, oui! Sheppard nous a demandé une ou deux personnes en plus pour l'équipe du soir. Il semblerait qu'ils soient un tantinet plus nerveux que d'habitude et il pensait qu'un déploiement de forces suffirait à dissuader les fauteurs de troubles.

– Entendu, il peut les avoir, approuva Montone. (Puis, se tournant vers le dernier agent en souffrance :) Cet accident dans l'ascenseur de la mine, Slater?

– Pas grand-chose à en dire, sergent. Un bargeot nommé Cane avait décidé de faire une promenade dehors sans son scaphandre. On a dû l'éponger sur les murs de la cabine... Ils y sont encore. Les quelques gars qui rentraient du boulot et qui ont découvert les restes du bonhomme quand l'ascenseur est revenu ont été tellement secoués qu'on leur a donné un congé maladie. Ça paraît légitime. 'Parlez d'un coup inattendu, dites!

Slater avait débité son rapport sans grande émotion, pourtant, il fit ce qu'aucun de ses collègues n'avait réussi à faire, il réveilla O'Niel. Le regard du marshal sortit du néant où il s'était égaré pour se fixer sur l'agent de sécurité.

– Avez-vous d'autres détails? demanda Montone.

– Peu de chose. (Slater fit un effort de mémoire.) Il était seul; personne n'était assez près de lui pour qu'on ait pu le pousser. Il y a quelques gars qui ont essayé de rentrer dans le sas après lui, mais il l'avait fermé de l'intérieur. Si quelqu'un l'avait jeté là-dedans, ils l'auraient forcément vu, ils étaient à côté. En plus, ceux qui l'ont vu à travers la vitre de la cabine avant qu'elle descende ont déclaré qu'il n'avait pas l'air d'agir contre sa volonté. Il paraît qu'il souriait tout le temps, même quand l'ascenseur a commencé à descendre. Impossible que ce soit un homicide. C'est obligatoirement un suicide. Et même si d'une façon ou d'une autre on l'avait poussé dedans, il aurait pu arrêter la cabine n'importe quand avant de passer la décompression. J'ai vérifié. Les commandes étaient encore en position manuelle et personne n'y a touché. Non, il s'est sacrifié, sans hésitation.

– Est-ce qu'il a laissé un mot?

La voix brusque d'O'Niel fit tressaillir tout le monde. Le marshal s'était exprimé sur un ton calme, presque détaché, cependant, il avait aussitôt capté l'attention générale.

– Je vous demande pardon?

O'Niel répéta sa question pour le jeune vigile.

– Je dis, est-ce qu'il a laissé un mot ou quoi que ce soit de ce genre?

– Heu... (Slater tâchait de réfléchir vite, et de ne pas lâcher une bourde.) Pas à notre connaissance, marshal.

– Est-ce que l'un d'entre vous a pensé à vérifier?

Slater regarda alentour, cherchant de l'aide.

Un de ses collègues répondit :

– J'étais avec lui quand nous avons établi le rapport, marshal. J'ai inspecté les quartiers de Cane, sa couchette et son casier. Il n'y avait pas de notes et rien sur son écran. Il n'a rien dit non plus à personne avant d'agir. Enfin, à aucune des personnes que nous avons interrogées.

O'Niel reporta son regard sur Slater.

– Alors comment savez-vous que c'est un suicide?

– Heu... C'est... mais parce qu'il n'y a pas d'autre explication plausible. Il savait exactement ce qu'il faisait, c'est sûr. On ne peut pas tomber comme ça accidentellement dans un sas étanche et ensuite dans un ascenseur. Il faut ouvrir une porte, presser sur des boutons, refermer la porte, appeler la cabine, s'enfermer dedans, choisir un étage. Le tout manuellement. Aucune de ces commandes n'était présélectionnée. Il ne peut pas y avoir eu une telle cascade d'accidents. Franchement, le suicide est la seule et unique explication.

O'Niel observa le vigile pendant un long moment.

– Merci, dit-il finalement.

– Oui... heu, bien marshal.

Slater n'avait plus du tout l'air indifférent et ses compagnons, tout à l'heure somnolents, non plus. Ils étaient tous alarmés, maintenant, et essayaient d'observer O'Niel sans croiser son regard.

Il en résultait une salve de regards furtifs, rappelant une troupe de businessmen respectables passant devant un palace porno.

Quand il apparut clairement qu'O'Niel avait terminé, du moins pour l'instant, Montone reprit son tour d'horizon.

– Bien; voilà pour l'affaire de l'ascenseur. Fanning, c'est à vous. (Un autre agent se tortilla sur sa chaise, et lorgna le marshal.) Qu'est-ce qui s'est passé à la station de pompage?

– Une bagarre simplement. On les a coffrés pour trois heures. Ils ont fait la paix et en retournant au boulot ils étaient comme cul et chemise.

Quelqu'un sortit une blague grossière et la ferma en vitesse, sur un regard du sergent.

– Hill!

– Très calme partout ailleurs, sergent. Il y a eu des protestations à propos de bruit dans les couloirs, et puis il y a quelqu'un qui se plaint qu'on lui a volé des bandes vidéo la nuit dernière.

– Il les a probablement oubliées dans un tiroir quelque part.

Hill hocha la tête et sourit.

– C'est ce que j'ai pensé aussi, mais j'ai quand même enregistré la plainte.

– Vous avez bien fait. Je ne tiens pas à ce que l'administration me tarabuste pour des bêtises.

Le sergent s'approcha du monitor et appuya sur un petit bouton au bord de l'écran.

Les mots défilèrent sur la surface d'acrylique, avant de s'arrêter à l'endroit choisi.

– Répartition du boulot pour aujourd'hui. Fanning, c'est votre tour de garde au niveau deux. (L'agent interpellé se leva et s'avança vers la porte.) Slater, vous prenez le club. Morton, vous êtes en patrouille dehors à la mine.

Un à un, les agents de sécurité prirent connaissance de leur mission et sortirent. O'Niel les suivait des yeux, essayait de les juger, mais il pensait surtout à Carol et Paulie, à la distance qui grandissait entre eux d'heure en heure. Distance dans tous les sens du terme. Cependant, autre chose le préoccupait, le titillait. Et ça ne se dissipait pas, quels que soient les arguments qu'il trouvait.

Il se promit d'aller y voir de plus près.

4

Les couchettes étaient superposées et rangées en longues allées. Chacune constituait le logement personnel de celui ou celle qui y dormait, le seul qui fût à la disposition des travailleurs de Io. Les gens et les ordinateurs qui avaient dessiné les couchettes recherchaient surtout l'efficacité et l'économie d'espace, si bien que les occupants avaient tout juste assez de place pour s'étendre et s'asseoir.

Du côté extérieur, c'était bien protégé par un panneau amovible, pour des raisons de sécurité, et puis pour garder quand même une certaine intimité. Chaque mineur disposait aussi d'un écran vidéo, lequel pouvait être cadenassé, afin de se préserver des indiscrétions. Une fois clos, le compartiment était insonorisé, enfin tendait à l'être. L'impression de dortoir pouvait être amortie mais pas complètement éliminée.

Du moins les lits étaient-ils confortables. Il le fallait, étant donné tout le temps qu'on y passait. Il y avait des tiroirs et des casiers, ingénieusement logés à la tête du lit et en dessous.

Quelques ouvriers avaient apporté des améliorations de leur cru, comme des tiroirs aimantés sur le côté et à la tête du lit. Au bout de chaque allée, on voyait des habitacles à usage commun, avec de grands monitors vidéo. L'un d'eux offrait cent vingt-trois chaînes de « loisir-et-culture » allant de la musique classique (peu de fidèles) aux informations (moyennement suivies), en passant par les sports (le plus gros succès, de loin), la porno (moins d'amateurs qu'on peut le croire), et puis le reste, tous les programmes, tous les spectacles possibles et imaginables.

Un autre monitor indiquait l'heure, non seulement sur Io mais sur une centaine d'autres colonies, sur Mars comme sur la Lune ou la Terre, ainsi que sur diverses stations orbitales. On y lisait également la température intérieure et extérieure. Les mineurs faisaient toujours très attention à la première, mais personne ne se souciait de la deuxième, car c'était bien trop loin de la marge tolérable par l'homme. De même, des mesures sur la composition de l'atmosphère. Un autre écran fournissait des informations tectoniques et des prévisions. Il était relié aux instruments extérieurs qui, constamment, avaient l'œil sur le sous-sol instable de l'astéroïde, et à la section de l'ordinateur central qui veillait aux tremblements d'Io et aux éruptions volcaniques. Enfin on pouvait aussi, sur cet écran, suivre les nombreux programmes qui exhortaient les mineurs à faire de plus grands efforts.

Cette propagande de la compagnie était boudée de tous, ainsi que les rapports financiers, sauf quand on mentionnait les primes, et alors là, au contraire, l'écran avait un pouvoir d'attraction considérable.

Il était rare que cette zone d'habitation fût totalement déserte.

Il y avait toujours quelqu'un en train de regarder les grands écrans, de lire sur son monitor individuel ou sur un vrai livre, de se changer, ou de dormir, enfermé dans son habitacle. On en voyait aussi qui entraient et sortaient des douches.

Le quartier des femmes ne différait en rien de celui de leurs compagnons, sinon par les proportions générales, légèrement moindres, et puis par la fréquence des décorations et des bouquets de fleurs artificielles placées le long des couchettes.

Il était impossible de parcourir l'allée sans rencontrer au moins un ou deux voisins. Cette promiscuité ne produisait pas les troubles psychologiques que les spécialistes avaient craints au début. Après tout, les matelots avaient supporté des conditions semblables dans les sous-marins pendant des décennies avant la conquête de l'espace. Au cours de son histoire, la nation japonaise était venue à bout de pires difficultés. Ce n'était pas grand-chose; il suffisait de créer une petite bulle de vie privée autour de soi. Personne n'empiétait dessus et on n'empiétait sur personne. Nombre de Jove-Jockies étaient d'origine nipponne.

Au total, la mine n'était pas très confortable, mais elle tournait. Il le fallait.

L'homme aux traits émaciés qui était passé à la cafétéria la veille sans y manger entra dans le dortoir. Il fit halte à l'extrémité d'une allée et regarda l'écran autour duquel était rassemblé un groupe de mineurs. C'était la retransmission d'un récent match de balle-Anti-G. Les hommes le commentaient à mi-voix, laissant de temps en temps échapper un juron ou un cri de joie, selon qu'ils appréciaient ou non la stratégie d'une équipe, les interventions de l'arbitre.

Spota se mêla à la discussion pendant quelques minutes, puis il remonta une des allées. Devant lui, un mineur, installé sur une couchette supérieure, fit passer ses jambes en dehors et commença à descendre. Il toucha terre quelques secondes après que Spota l'eut dépassé. Les deux hommes suivirent l'allée en restant distants de quelques mètres, ignorant les autres ouvriers comme ils semblaient s'ignorer eux-mêmes, et pénétrèrent finalement dans les douches. L'endroit était rempli de vapeur, celle de l'eau de bain recyclée. Les ablutions en eau douce étaient un des rares luxes authentiques dont jouissaient les mineurs.

On entendait des éclats de voix, des corps ruisselants ou savonnés allaient et venaient, évitant de toucher les conduites d'eau brûlante. D'autres se rasaient ou se peignaient devant une rangée de miroirs.

Les waters étaient situés tout au bout de la salle d'eau. Spota entra dans l'un d'eux et ferma soigneusement la porte. Peu après, l'homme qui l'avait suivi entra dans le cabinet voisin. Quelques instants s'écoulèrent, puis il ressortit et s'éloigna. Spota en fit autant aussitôt et se dirigea vers la sortie. Le mineur réintégra sa couchette et Spota quitta le dortoir par une issue différente de celle qu'il avait empruntée pour entrer.

Tous deux n'avaient attiré l'attention de personne, exactement comme ils le voulaient.

L'hôpital était plus propre que le dortoir des mineurs, mais beaucoup plus encombré, en dépit des encastrements et de toutes les astuces pour préserver l'espace. La modeste section médicale servait, pour toute la mine, à la fois de dispensaire, d'infirmerie, de salle d'urgence, de bloc chirurgical, de pharmacie et de centre de dépistage. Les lieux n'étaient pas conçus sur le modèle des cliniques rutilantes en usage sur Terre.

C'était un endroit voué à l'entretien des machines humaines, non à la recherche. Cela ressemblait davantage à l'atelier de réparation des engins d'extraction qu'au quartier des mineurs.

D'ailleurs, ce n'était un secret pour personne, les réparations des machines étaient souvent plus durables que celles des hommes.

Maintenir opérationnels les rouages humains de la mine, telle était la fonction première de l'hôpital. En dehors de ça, comme en témoignaient l'équipement et le personnel, son rôle était très limité.

L'équipe soignante se composait en tout de huit personnes, dont l'importance était secondaire par rapport aux machines à diagnostiquer. Cette équipe avait conscience de sa position moindre dans la hiérarchie des robots et ne s'en plaignait pas, au contraire. C'était bien plus simple de laisser les machines prendre les décisions graves.

Il y avait quatre infirmières, trois auxiliaires paramédicaux et le Dr Marian L. Lazarus. Les nouveaux arrivants commençaient toujours par la mettre en boîte. Elle semblait une proie facile.

Ils avaient vite fait de déchanter. On ne plaisantait pas avec Lazarus. Parce que si jamais, un jour, on se retrouvait à l'infirmerie avec une jambe cassée ou pire, là, c'était elle qui risquait d'avoir le dernier mot. Le docteur n'était pas réputé pour son bon caractère.

Lazarus était une femme mûre, un peu fripée, dont la physionomie pouvait passer sans transition de celle des grotesques de Goya à celle d'un pétulant enfant de dix ans. Elle avait de jolis yeux gris, souvenir d'une beauté passée. Sa façon de s'habiller était moins stricte que sa coiffure. Elle paraissait débraillée dans sa blouse blanche et résignée à finir sa vie dans un monde aseptisé et froid.

Son coin à elle se trouvait derrière la section des lits. Malgré, ou peut-être à cause de l'ingénieuse disposition des plans de travail et de l'appareillage, elle s'était arrangée pour personnaliser son repaire grâce à un indescriptible bric-à-brac.

La paillasse du Dr Lazarus eut certainement inspiré un anthropologue à la recherche des bizarreries culturelles.

O'Niel entra dans l'hôpital sous le regard admiratif de l'infirmière d'accueil. Il lançait des coups d'œil de droite à gauche, prenant note du bon état des installations, à la fois salubres et pas trop saturées. Il ne vit qu'un seul malade alité. L'équipement, pour autant qu'il pouvait en juger, était moderne et bien entretenu. Il y avait de nombreux appareils, coûteux et de transport délicat. Dommage, pensa-t-il, que la compagnie ne soit pas plus dévouée à ses employés AVANT qu'ils ne tombent malades.

O'Niel trouva Lazarus en pleine activité, penchée sur une série de diagrammes, face à un écran d'ordinateur couvert de graphiques et de symboles chimiques.

– Mais bon Dieu! criait-elle à l'adresse d'une infirmière épouvantée, qui est-ce qui a commandé tous ces emplâtres? Il n'y a donc personne qui ait un peu de bon sens par ici? C'est d'une mine que nous sommes responsables, pas d'un champ de bataille!!!

– C'est vous, docteur, répondit l'infirmière en essayant vainement de contenir l'irritation de sa voix.

– J'ai dit une centaine, pas un millier...

– Vous avez dit un mill...

– J'ai dit UNE CENTAINE, ce qui peut se confondre avec tout, sauf avec un millier. Ça ne ressemble ni de près ni de loin à un millier. (Elle leva les yeux au ciel et reprit, d'une voix lente et sarcastique :) Ecoutez, vous allez voir : un millyéééééé, une centèèèèèène; c'est totalement différent, non?

C'est alors qu'elle aperçut, par-dessus son épaule, O'Niel, attendant patiemment derrière elle.

– Vous trouvez que ça sonne pareil? (Puis, fronçant les sourcils :) Qui êtes-vous, au fait?

– Vous êtes le Dr Lazarus?

– Oui. Prenez deux aspirines et appelez-moi demain matin. C'est un gag de toubib. (Elle le toisa et remarqua l'insigne sur sa veste et les chevrons sur son col.) Ah! c'est vous le nouveau marshal Commenkissappelle?

– Oui, je suis Commenkissappelle. Je voudrais vous parler quelques instants.

– J'ai un alibi. Il y a quatre personnes qui peuvent jurer qu'elles étaient en train de faire un poker avec moi.

Puis, sans un sourire, elle s'écarta de l'ordinateur et marcha en direction de son petit labo, ne pensant plus ni à l'infirmière ni aux emplâtres.

O'Niel contourna le terminal et suivit la doctoresse, tandis qu'elle se frayait un chemin au milieu des tables et des civières.

– On ne me l'avait jamais faite, celle-là, elle est bien bonne.

– Excusez-moi. (Lazarus n'avait pas l'air très sincère.)

– Hier, il y a un homme qui est sorti délibérément de la station sans son scaphandre.

Elle s'arrêta devant une paillasse, souleva un flacon et le reposa.

– Oui, je sais.

Ensuite, elle reprit sa marche, tout en poursuivant son inventaire, remplissant les colonnes de son carnet de commandes à mesure qu'elle passait devant les étagères et les placards. O'Niel était contrarié de devoir traîner derrière elle. Il n'aimait guère converser avec quelqu'un de dos.

– Deux jours avant, un autre homme a entaillé sa combinaison pendant qu'il travaillait à l'extérieur. Volontairement, à ce qu'il semble.

Lazarus haussa les épaules sans se retourner.

– Ici, ça arrive.

– Souvent?

– Je ne sais pas. (Elle avait un ton de plus en plus excédé et souhaitait manifestement qu'il en finisse avec ses questions.) Ça arrive... de temps en temps, c'est tout.

– Pourquoi?

– Je ne suis pas psychiatre. J'ai assez de mal à essayer de soigner le corps des gens sans avoir à m'occuper de leur tête. Apparemment, il y en a qui n'en peuvent plus au bout d'un certain temps. (Elle fit une grimace peu engageante.) Je ne vois vraiment pas pourquoi. Io est un endroit tellement merveilleux au printemps...

– Les deux suicides... Vous avez autopsié?

– Non.

– Pourquoi?

Elle se retourna et lui jeta un regard incrédule. Voyant alors qu'il parlait sérieusement, elle se lança dans une explication détaillée, lui parlant comme à un enfant :

– Premièrement, parce que la compagnie voulait faire rapatrier les corps au plus vite; ils ne m'ont pas dit pourquoi. Je présume qu'on a estimé que la présence ici de plusieurs cadavres risquait d'affecter le moral des troupes. Deuxièmement, lorsque quelqu'un s'expose en atmosphère zéro, il ne reste pas grand-chose à examiner. Vous ne pouvez pas autopsier un type réduit en chair à pâté. Troisièmement, vous commencez à être empoisonnant.

Elle voulut s'en aller, mais O'Niel la devança et, ouvrant brusquement un tiroir, lui barra le passage.

– Je sais, c'est une mauvaise habitude. (Elle soupira, leva sur lui des yeux résignés et attendit qu'il en finisse.) J'aimerais, s'il vous plaît, poursuivit-il aimablement, que vous me fassiez le compte rendu de tous les incidents de ce genre ayant eu lieu ici depuis six mois. Et j'aimerais l'avoir au plus vite, sinon je vous botte le cul à travers tout l'hôpital... (Il eut un petit sourire et ferma le tiroir.) C'est un gag de marshal.

Là-dessus, O'Niel tourna les talons et s'éloigna au pas de charge.

Sagan avait hâte que la nuit soit écoulée.

Son équipe avait bien tourné. Pas de retard, pas de dispute, rien qui eut demandé plus que les suées habituelles.

Même le contremaître s'était arrangé pour leur dire un mot gentil et, quant à son adjoint Laville, il avait fini par avoir raison de son maudit rhume et ne crevait plus le tympan de tout le monde en reniflant dans son émetteur.

Aux vestiaires, Sagan commença à se changer tranquillement. Des camarades circulaient dans les lavabos, revenant comme lui du travail ou se préparant à y retourner, selon l'horaire de leur brigade.

Il s'appliqua de la crème dépilatoire sur les joues et attendit un peu avant de l'ôter. Puis il s'essuya avec une serviette propre, et se passa une eau de toilette à l'arôme capiteux et au nom exotique.

Enfin, Sagan admira le résultat final dans un miroir. Pas mal, se dit-il. Il plaisanta avec un copain qui sortait des douches, fit quelques commentaires sur le travail de la journée avec un autre, puis, vêtu de ses seuls sous-vêtements, rentra sans se presser au dortoir. Celui-ci était relativement calme. Des sons indistincts lui parvinrent du grand écran vidéo au bout de l'allée, ainsi que des couchettes individuelles qu'il dépassa.

Le petit monde privé de Sagan était au niveau deux, travée N° 7.

Cet emplacement était le reflet de son statut, comparativement modeste, à la mine. Les travailleurs chevronnés occupaient les couchettes les plus élevées (niveau quatre) et, par suite, les plus intimes. Un homme étendu sur la dernière couchette pouvait regarder en l'air sans craindre de voir quelqu'un gigoter au-dessus de lui.

Ce système, qui privilégiait l'ancienneté, n'avait pas été institué par la compagnie, mais par les mineurs eux-mêmes.

Ceux qui avaient rempilé, les Jove-Jockies, avaient les

couchettes d'angle au fond du dortoir. Elles étaient à l'écart des écrans vidéo collectifs et du bruit des douches. Il y régnait une atmosphère presque paisible. Sagan enviait souvent aux anciens leur îlot de tranquillité, mais il n'avait nullement l'intention de rester sur Io jusqu'à ce qu'un tel avantage lui revienne de droit.

Il comptait bien empocher sa prime et repartir chez lui aussitôt que son année serait finie. Mais ça, c'était l'avenir. Son problème immédiat était de passer la nuit. Il grimpa sur sa couchette avec agilité, alluma sa lampe de chevet et actionna la fermeture du panneau d'isolement. Ensuite, il ouvrit l'un des tiroirs placés au bout du lit et plongea la main sous les vêtements qui s'y trouvaient. La seringue qu'il sortit était de forme compacte, grosso modo celle d'un pistolet sans crosse, avec un canon et une détente. L'usage n'en était pas illégal, presque tous les ouvriers en avaient de semblables. Cela facilitait beaucoup la distribution des médicaments. Le dispensaire fournissait des ampoules à chaque mineur au lieu de les faire venir à l'hôpital un par un. La petite fiole transparente que Sagan venait d'extraire de son tiroir était plus petite que l'ongle de son pouce. Il arma la seringue, introduisit la fiole dans la culasse et vérifia que le cylindre pneumatique était correctement chargé.

Sagan pressa fortement le canon sur l'intérieur de sa cuisse et appuya sur la détente. Il y eut un bref sifflement et l'air soudain relâché projeta le contenu de la fiole dans sa jambe.

Il s'étendit et respira profondément en fermant les yeux. Au bout de quelques minutes, il remit la seringue dans son tiroir qu'il referma. Puis, ouvrant un autre casier, il se choisit une chemise et, sifflotant gaiement, commença à s'habiller.

Il faisait sombre dans les quartiers d'O'Niel, et tout était calme. Il était assis sur son lit, lequel épousait confortablement son corps. Dans le fond, se dit-il, je suis tout à fait comme ce sommier. A la fois bien charpenté, flexible, parfaitement capable de supporter plusieurs charges à la fois, et en même temps, une tendance à s'attendrir vers le milieu. Cette analogie, il ne se l'appliquait pas qu'à lui. O'Niel avait l'habitude de considérer les gens comme des meubles, des objets remplissant l'espace, tout comme les chaises et les tables. Pour lors, il se livrait à son passe-temps favori qui consistait à passer en revue ses nouvelles connaissances; un moyen comme un autre d'évacuer de plus sombres pensées.

Montone, d'abord, son premier sergent. Eh bien, cet homme-là était absolument comme une chaise fraîchement repeinte. Mais la peinture pouvait cacher beaucoup de choses. Il fallait le mettre à l'épreuve. Sheppard... Sheppard, lui, rappelait un gros bureau, la robustesse du vieux chêne. Solide, inébranlable, prêt à soutenir les plus lourdes charges. Sauf que O'Niel le soupçonnait d'être seulement plaqué. Au premier choc, on risquait de ne plus trouver du chêne en dessous, mais de l'aggloméré. Médiocre. Le Dr Lazarus... Alors ça, c'était une véritable antiquité, sans vernis. Une belle patine, légèrement mangée par les vers, peu attrayante au premier abord, mais bien fichue.

Enfin peut-être. Ce genre de meuble n'était pas facile à évaluer d'un seul coup d'œil. Ça pouvait résister à un bulldozer et, aussi bien, s'écrouler à la première secousse un peu sérieuse. Et puis il y avait des clous qui dépassaient aux entournures. Il fallait faire attention de ne pas s'écorcher.

On frappa à la porte. O'Niel décroisa les jambes et tenta sans succès de sortir de sa léthargie. « Qu'ils aillent au diable! » murmura-t-il avec humeur, puis :

– C'est ouvert.

Montone entra, portant un grand plateau chargé de plats couverts.

Il le déposa sur la desserte, obligeant O'Niel à pousser ses pieds.

– Je ne sais pas ce que vous aimez, alors je vous ai

apporté un peu de tout. Heu... Il y a certaines choses qui ont vraiment un goût différent du reste.

O'Niel regarda les raviers d'alu et essaya de sourire gentiment au sergent.

Celui-ci s'assit en face de lui, l'air soucieux.

– Ecoutez. Il faut que vous mangiez un peu. A défaut d'autre chose, ça vous aidera à tuer la monotonie. Pour ça, je suis expert.

» On m'a toujours taquiné à cause de mon nom. Vous permettez que je m'invite? Merci, fit-il, avant qu'O'Niel ait pu répondre.

Montone se leva, entra dans la kitchenette et se mit à fouiller dans les placards jusqu'à ce qu'il trouve un verre, oui un verre en verre; contrairement à ce qu'aurait pu penser un étranger, ça n'était pas un luxe. Deux des premiers ingénieurs qu'on avait envoyés construire la mine avaient occupé leur temps libre à monter une petite verrerie entièrement automatisée. Aussi, le verre était-il une des rares matières premières que l'on produisît sur place.

Montone revint s'asseoir vis-à-vis d'O'Niel et commença à ôter le papier cellophane qui couvrait les plats.

– Il y a du gâteau au chocolat comme dessert, mais vous n'y avez pas droit, tant que vous n'aurez pas fini votre viande.

O'Niel sourit malgré lui. Il savait que c'était le temps de repos de Montone. Le sergent n'était pas obligé d'être là.

– Je sais ce que vous éprouvez, lui dit Montone avec sincérité. Si, si. (O'Niel se contenta de le dévisager.) Vous croyez que je dis juste ça comme ça? (Il se pencha, piqua sa fourchette dans un plat et reprit, la bouche pleine :) La deuxième fois que je suis rentré de mission, ma femme s'était trissée avec un type, un programmeur, un petit morveux qui perd ses cheveux...

O'Niel consentit à lever un œil curieux.

– J'ai deux filles, poursuivit Montone en mâchant un morceau de vrai steak. Elles appellent le programmeur

« daddy ». Ma femme prétend qu'elle est plus heureuse. Vous verriez le type, ce qu'il a l'air assommant! Elle dit que ce n'est peut-être pas un super play-boy, mais qu'il est tout le temps à la maison. (Il poussa le plateau vers O'Niel.) Essayez de manger, ça n'est pas si mauvais que ça. La cuisine de l'administration est fameuse. Bien meilleure que tout ce que j'ai pu goûter ailleurs. Ils mettent de la vraie viande, des fois. (Il montra les plats de la main.) Sheppard se décarcasse pour donner le meilleur aux cadres. On peut au moins dire ça en sa faveur. (Si Montone attendait une réaction d'O'Niel, il dut être déçu.) C'est du vrai steak, goûtez-y un peu, insista-t-il.

– Oui, oui, tout à l'heure.

Montone poursuivit son monologue sans rencontrer les yeux d'O'Niel.

– Vous savez, les putes sont mignonnes ici. Io a mauvaise réputation pour le boulot, mais pas pour les loisirs. Ça peut aider, parfois, quand on est seul. La plupart des filles travaillent gentiment et elles sont toutes habilitées par la compagnie.

– Oui, oui, ah bon...

Il y eut un moment de silence, pendant lequel Montone engloutit la portion qu'il s'était attribuée, après quoi il releva les yeux.

– Vous voulez jouer aux cartes? Je vous préviens, déclara-t-il avec une grimace, je triche. Seulement je suis tellement cave qu'à tous les coups je me fais choper.

– Non, merci.

Montone eut l'air dépité.

– Je vous pompe, c'est ça?

– Non, pas du tout, dit O'Niel le plus aimablement qu'il put. Non, j'apprécie beaucoup ce que vous faites; vraiment. Mais heu... Enfin, pour le moment j'aimerais mieux être seul.

Montone se leva.

– Je comprends, marshal. (Puis se retournant, sur le pas de la porte :) Je m'occupe du prochain rapport de brigade et je prépare le tableau de service. Si vous voulez vérifier, je vous envoie le double sur votre monitor.

– Non, inutile, sergent, fit O'Niel en secouant la tête.

– Entendu. Si vous avez besoin de quoi que ce soit, même bavarder, simplement, vous m'appelez, hein ? Je vous en prie. J'ai une paye honnête.

– Merci... Si, franchement.

– C'est ça. (Il hocha la tête vers le plateau.) Vous pouvez prendre le gâteau au chocolat. Je suis à la diète.

Puis il sortit et ferma doucement la porte derrière lui.

O'Niel l'oublia immédiatement, se dressa comme un automate et s'approcha de sa console. Il alluma un des monitors et ordonna : O'NIEL W.T. RETRANSMISSION DES MESSAGES DE MERCREDI. L'écran s'illumina. AFFIRMATIF. Une image s'ébaucha sur l'écran, Montone apparut.

– Marshal, nous avons une réponse à votre demande de...

O'Niel enclencha sur une autre piste. Un autre visage se dessina.

– Marshal, ici, Caldwell, sécurité zone ouest. Nous avons un petit problème ici, rien de sérieux, mais je voulais juste avoir votre avis avant que nous...

O'Niel coupa, refit passer la bande en marche arrière et s'arrêta sur un signal sonore, avant de remettre en vitesse de lecture.

Cette fois, ce fut le visage de Carol qui apparut. O'Niel s'enfonça dans son fauteuil et se prépara à visionner encore les lamentations de sa femme. Mais soudain, une lumière jaune s'alluma au-dessus de l'écran, accompagnée d'un bip-bip strident. Il appuya sur le bouton de l'interphone, sans quitter l'écran des yeux.

– Ici, O'Niel... Quoi ?! C'est grave ? (On lui parlait précipitamment.) J'arrive.

Il bondit, attrapa son revolver suspendu près de la porte et s'élança hors de l'appartement.

Derrière lui, l'écran vidéo débitait toujours son message enregistré : « ... Je t'aime, je veux que tu le saches... Regarde-moi, j'ai besoin de ton soutien...» Et la voix continuait ainsi, pleurnichant et accusant dans le vide...

5

O'Niel fonçait à travers les couloirs, dévalait les rampes d'accès et les gens s'écartaient spontanément sur son passage, chuchotant entre eux avec inquiétude. Personne n'avait la moindre idée de ce qui arrivait, mais tout le monde savait qu'aucun membre du personnel de sécurité ne courait comme ça sans raison; il devait se passer quelque chose de vraiment grave. Et puis, il y avait ce revolver que le marshal tenait en main.

A l'extrémité du couloir qu'on lui avait indiqué, O'Niel trouva deux vigiles qui l'attendaient. Il ne se souvenait pas de leurs noms, mais pour l'instant, ça n'avait pas d'importance.

– Il est dans l'aile ouest, marshal, lui dit le premier vigile, une femme.

O'Niel se jeta dans un autre corridor. Derrière lui, les deux vigiles éloignaient les curieux. Un peu plus loin se tenaient Montone et une autre femme du service de sécurité, tous deux armés. Montone tendit le doigt vers le fond du couloir. On voyait plusieurs portes fermées et, tout au bout, celle du Central Club, d'où s'échappait un écho de musique douce.

– Il est dans un box de passe, expliqua le sergent d'un ton nerveux. Avec une pute. Tout ce qu'on sait, c'est que le gars la maltraite méchamment. Elle a déclenché l'alarme.

– Qui est-ce qui a répondu?

– Moi, dit un des vigiles. Quand j'ai essayé d'ouvrir la porte, le type m'a dit qu'il avait un couteau. Il disait qu'il allait la tuer si je ne dégageais pas immédiatement. Il n'y a pas de vidéo à l'intérieur. L'intercom est coupé. Mais je suis sûre que c'est vrai, il a un couteau, je n'ai pas eu besoin de le voir, il suffit d'entendre sa voix. Ça fait que j'ai fait marche arrière, comme il disait, quoi.

O'Niel approuva d'un hochement de tête.

– Qui est-ce? Vous avez pu l'identifier?

– Oui, il s'appelle Sagan. Quand il est arrivé au club, la fille a enregistré son entrée, par pure routine. On a fait toutes les vérifications. C'est un grutier; ça fait presque onze mois qu'il est là.

– Onze mois! Bon Dieu! s'exclama O'Niel.

– Il n'a jamais causé le moindre ennui, continua la jeune femme. Aucun antécédent, rien. J'ai contrôlé son dossier médical. Ni instabilité ni psychose, il est parfaitement normal. Ses copains d'équipe l'aiment bien. Son contremaître dit que c'est un bon ouvrier, cent pour cent de rendement et tout. Quand je leur ai dit ce qui se passait, ils ne voulaient pas le croire.

– Et la fille, dans quel état est-elle?

– Elle est vivante. On l'entend gémir à travers la porte.

Ils avancèrent jusqu'à la porte en question. Quatre autres agents en armes les y attendaient, qui se cambrèrent à la vue d'O'Niel et reculèrent pour laisser le passage.

– Est-ce qu'il est vicieux? demanda O'Niel en examinant la porte.

– Ça m'étonnerait, dit Montone. Il y a des types comme ça, qui aiment bien tabasser les nanas. Mais là, ça dépasse les bornes.

O'Niel se retourna vers le vigile qui, le premier, avait répondu à l'alarme.

– Vous êtes certaine qu'il a un couteau?

– Eh bien, je vous l'ai dit, l'interphone est coupé; ces filles-là tiennent à leur intimité et leurs clients aussi. Il n'y a aucun moyen de s'assurer qu'il est armé. Mais je suis convaincue que c'est le cas.

– Pourquoi? A cause de sa voix?
– A cause de celle de la fille, surtout.
– D'accord, fit O'Niel en balançant la tête.
Il pivota et tambourina sur la porte.
– Sagan! cria-t-il, c'est moi, marshal O'Niel. Libérez la fille et personne ne vous fera de mal. On veut seulement vous aider. (Aucune réponse.) Vous m'entendez, Sagan?
A l'intérieur, la petite chambre était peinte de couleurs chatoyantes et ne contenait en tout et pour tout que deux choses : un lit et un magnétoscope. Un film de la catégorie non recommandable pour les repas de famille se déroulait sur l'écran. Aucun des deux occupants de la chambre n'y faisait attention. Sagan était couché sur le lit, nu jusqu'à la ceinture. Une sueur abondante ruisselait sur tout son corps, les draps au-dessous de lui étaient trempés. Il avait des yeux sauvages et une expression démoniaque, soulignée par une espèce de demi-sourire, un rictus à vous faire frissonner.
Il avait un bras serré autour de la poitrine d'une jeune fille brunette, mince et entièrement nue. De son autre main, Sagan tenait un long couteau effilé, qu'il pointait droit sur la gorge de la jeune fille, obligeant celle-ci à tordre douloureusement la tête en arrière. Elle saignait du nez et de la lèvre inférieure. Sa mâchoire bleuie commençait à enfler sous l'effet d'un terrible coup. Elle était à peine consciente, heureusement, et sa gorge palpitait sous la pression de la lame.
– Cassez-vous! hurla Sagan. Je vous préviens, je la tue, je vous jure que je la tue, nom de Dieu! je lui tranche la gorge. Ça sera vite fait, vous savez. Si vous m'y forcez, j'en ai pour trente secondes hein!
– Pourquoi? demanda O'Niel d'un ton apaisant. Qu'est-ce qu'elle a fait?
– C'est le diable en personne! (Sagan respirait par à-coups, étranglé par la haine.) Dégagez! Vous m'entendez?! Ecoutez! Je lui tranche sa petite gorge rose illico si vous ne partez pas. Je la zigouille, attention!
Il appuya un peu plus sur le manche du couteau, dont

la pointe creva très légèrement la peau. Un petit point rouge apparut, s'arrondit en une goutte qui commença à couler lentement sur le cou de la jeune fille. Etourdie comme elle l'était, elle eut encore le bon sens de ne pas se débattre, mais elle poussa un hurlement de terreur.

– Hé ho! s'écria O'Niel en entendant son cri du couloir. Ecoutez-moi; vous savez bien que je ne peux plus m'en aller, maintenant, vous le savez bien. Bon, personne ne vous veut de mal. Je veux que vous compreniez ça, Sagan. Si vous voulez discuter, on discutera. Je n'essayerai pas d'entrer de force. Ça vous paraît fair-play? Je ne défonce pas la porte et vous ne faites pas de folie avec la fille, O.K.? (Silence dans la chambre.) Sagan, vous êtes là?

Pour toute réponse, ils entendirent une série de bruits étouffés, moitié gémissements, moitié grognements. O'Niel fit signe à un des vigiles armés de s'approcher.

– Allez me chercher un ouvrier de l'entretien, ordonna-t-il, quelqu'un qui connaisse bien la section. Vite. (Il montra la porte du pouce.) Le gars est sur le point de craquer, compris?

Le vigile opina et fila vers l'interphone le plus proche.

– Hé, Sagan, Sagan! C'est encore moi, le marshal. Sagan, essayez de comprendre ce que je vous dis. Prenez le temps de réfléchir une minute. Jusqu'à présent, vous n'êtes pas encore allé trop loin. Vous me suivez? Tout ce que vous risquez pour l'instant, c'est quelques semaines de sursis. Tant que vous ne tuez pas la fille, tout va bien. Pensez-y, mon vieux. Il vous reste moins d'un mois de mine avant la quille. Il y a votre prime d'achèvement de contrat qui vous attend. Vous êtes pratiquement rentré chez vous. N'allez pas tout gâcher maintenant.

De l'autre côté de la porte, cependant, Sagan ricanait. Non à l'intention de la fille, ni à celle d'O'Niel, mais à cause de quelque chose qu'il avait dans la tête et qu'il ne percevait même pas clairement.

– Je m'en vais découper cette petite mouflette. Je vais utiliser mon joli couteau et je vais le faire doucement, touuuuuut douuuuucement...

Derrière cette menace prononcée d'une voix convulsive, on entendait de brefs sons étranglés, faibles et intermittents.

O'Niel réfléchit. Sagan avait l'air résolu au pire.

Une réparatrice du service entretien arriva en courant, accompagnée du vigile qui l'avait appelée. Les poches de sa salopette blanche débordaient d'outils de toutes sortes, il en pendait même à sa ceinture. Elle s'arrêta en haletant devant le marshal.

Celui-ci ne lui donna pas le temps de souffler.

– Montrez-moi le tableau derrière lequel se trouvent les conduites hydrauliques pour cette chambre.

Ayant acquiescé d'un signe de tête, elle sortit un outil longiforme et s'approcha de la gauche de la porte. Elle fit alors pénétrer son outil dans quatre petits orifices et quatre boulons s'échappèrent d'une plaque de métal située un peu plus haut. Celle-ci était à égale distance de la porte de Sagan et de celle de la porte voisine. L'ouvrière raccrocha son outil à sa ceinture, attrapa le panneau des deux mains et le retira.

Une gaine d'environ soixante centimètres de diamètre apparut derrière; on n'en voyait pas le fond.

– Quand je vous le dirai, je veux que vous coupiez la valve hydraulique qui commande l'ouverture de cette porte.

L'ouvrière déposa le panneau à terre tout en enregistrant les ordres. Elle s'approcha d'une autre plaque carrée, plus petite, et l'ouvrit, mettant au jour plusieurs boutons et voyants lumineux.

Pendant ce temps, O'Niel expliquait son plan à Montone, qui fit venir deux de ses agents. Ils pénétrèrent à genoux dans la gaine, en faisant le moins de bruit possible. O'Niel attendit que le dernier homme eût disparu et revint se poster devant la porte. Il regarda l'ouvrière qui était debout devant le tableau de commandes et, levant la main, lui fit signe de se tenir prête. Elle posa le doigt sur le bouton approprié et attendit.

O'Niel vérifia que son revolver était chargé et, se penchant sur la porte, reprit ses tractations :

– Sagan, vous êtes là?

En entendant la voix du marshal, Sagan se leva brusquement du lit et commença à arpenter la pièce en tâtant les murs.

La jeune fille l'observait. Elle respirait un peu mieux, maintenant que le couteau n'était plus sur sa gorge, d'où s'écoulait un mince filet de sang. Elle restait là à le regarder, la mâchoire pendante, réprimant les soubresauts qui secouaient sa poitrine. Sagan tournait en rond, palpant les murs, la bouche écumante, inhumaine.

– Ouais, je vous entends! hurla-t-il. Bien sûr que je vous entends, vous me croyez sourd ou quoi?

– Non, non, bien sûr, dit calmement O'Niel. Je voulais juste m'assurer que vous m'entendiez, c'est tout. Bon, maintenant, Sagan, je vais vous expliquer quelque chose. Je vais m'exprimer très soigneusement et je vous demande de faire très attention.

Sagan faisait des moulinets en l'air avec son couteau, il voulait chasser la voix, cette voix qui menaçait de couvrir l'autre, celle qui résonnait dans sa tête, lui suggérant des choses si répugnantes, tout en lui promettant des plaisirs si délicieux.

De son côté, muni d'une petite lampe, Montone progressait dans le tunnel, se cognant la tête, s'éraflant les mains, osant à peine respirer de peur d'être entendu du forcené. Il entendait haleter les deux agents qui rampaient derrière lui.

– Je ne peux pas vous laisser éternellement là-dedans, raisonnait O'Niel avec un implacable sang-froid. Alors, écoutez, je vais relâcher la pression hydraulique de la porte. Ça la fera ouvrir d'un seul coup, quoi que vous fassiez.

Il recula pour jeter un coup d'œil à un vigile qui, posté à l'entrée du conduit, suivait la progression de Montone et des autres. Le vigile fit un signal à O'Niel qui se pencha de nouveau contre la porte.

MONTONE

– Vous ne pouvez pas rester enfermé, Sagan. Dès que les verrous hydrauliques seront coupés, la porte s'ouvrira en grand. Ne vous obstinez pas, vous pouvez aussi bien sortir calmement.

– Je... A l'instant où cette porte s'ouvrira, je la tue! Je vais la dépecer, je la hais!

Montone, cependant, hésitait. Il y avait quatre petites broches disposées à sa droite sur la paroi du tunnel. D'après la technicienne de l'entretien, elles tenaient le panneau qui ouvrait sur la chambre du forcené. Plaçant sa torche entre ses dents, il commença à les palper, tira doucement sur la première qui céda sans difficulté. Puis il attaqua sans tarder la suivante.

Il entendait Sagan fulminer de l'autre côté.

O'Niel ne pouvait plus attendre Montone. Le grutier s'énervait de plus en plus.

– Je ne vais pas discutailler avec vous, Sagan, et je ne cherche pas non plus à vous tromper. Je vais compter de dix à un. A un, la porte s'ouvrira; je ne me précipiterai pas à l'intérieur, je ne ferai rien pour vous affoler et je ne vais pas non plus vous tirer dessus. Je tiens à ce que personne ne soit blessé, vous pas plus que les autres. Je ne crois pas que vous vouliez réellement faire du mal à quiconque, Sagan, vraiment pas. Je vous demande de me faire confiance. Quel que soit le problème, tout peut s'arranger sans violence. Je vous le promets. Ce serait mieux ainsi, autant pour vous que pour moi.

Montone sentit la dernière broche lui glisser dans la main, laissant le panneau en équilibre sur place. Il manquait d'air dans ce conduit exigu et devait se forcer pour haleter silencieusement.

Il était prêt, ainsi que les deux hommes qu'il précédait. Tous attendaient le signal d'O'Niel.

Sagan avait enfin cessé de parcourir la chambre de long en large.

Il ne tenait plus son couteau que d'une main lourde, la pointe vers le bas. Les éclairs de furie qui aveuglaient ses yeux avaient fait place à un pauvre regard vitreux. Les

paroles lénifiantes d'O'Niel commençaient à faire effet.

– Vous... Vous allez me tuer, murmura-t-il en s'avançant près de la porte.

– Non, absolument pas, s'empressa de répondre O'Niel. (Il reprenait espoir.) Vous avez ma parole. Et vous avez aussi ma parole que si vous tuez la fille, alors là, je vous descends. Maintenant, écoutez, Sagan. Je vais faire ce que j'ai dit, je vais compter lentement de dix à un. Faites ce que je vous ai dit et tout ira bien. Attention! Dix, neuf...

Debout au milieu de la chambre, les yeux vides, Sagan se balançait d'avant en arrière, luttant pour dissiper le terrible brouillard de haine qui avait pris le contrôle de son cerveau, surchargé par un afflux d'informations contradictoires. Tout avait paru si clair quelques minutes avant... Et maintenant...

La voix d'O'Niel lui parvenait comme un écho lointain : Huit... sept...

Dans le conduit, Montone avait la main droite posée sur le panneau, prêt à le faire basculer pour bondir à l'intérieur. Lui aussi entendait le compte à rebours d'O'Niel. Six... cinq... quatre...

Sagan fixait la porte, pétrifié. Quelque chose bougea derrière lui, le panneau libéré tomba à plat sur le sol et, au moment où Sagan se retournait, Montone fit irruption dans la pièce. La voix d'O'Niel résonnait encore : Un...

Montone tira. La décharge de son arme fit un claquement assourdissant qui se répercuta entre les quatre murs. La jeune prostituée sortit de sa paralysie avec un cri perçant qui couvrit le fracas de la détonation. Au même moment, la réparatrice déclenchait la décompression des verrous hydrauliques. Il y eut comme un spasme en haut de la porte et celle-ci coulissa docilement.

O'Niel était debout sur le seuil, tenant stupidement son revolver des deux mains. D'un rapide coup d'œil, il contempla la scène.

La jeune fille était O.K. Elle sanglotait doucement, les bras serrés en travers de sa poitrine. O'Niel vit un peu de sang couler de sa gorge, la blessure n'était pas grave. A ses pieds gisait Sagan, les bras en croix et la tête déboîtée, accusant un angle inquiétant avec le torse, au milieu duquel on voyait un gros trou fumant. Ses yeux grands ouverts fixaient le plafond. Montone regarda le marshal.

– Il s'est tourné vers moi, j'ai... j'ai vu le couteau, balbutia-t-il, la bouche empâtée.

O'Niel contemplait le cadavre silencieusement, n'en croyant pas ses yeux. Il secoua la tête d'un air sceptique.

Les deux sbires du sergent avaient suivi leur chef dans la chambre et s'empressaient de donner les premiers soins à la fille. D'autres vigiles se massaient devant la porte, tendant le cou pour mieux voir. Le spectacle du grutier mort et de la jeune fille ensanglantée les laissa d'abord interdits, puis ils se mirent à commenter à voix basse.

Cependant, les secours s'organisaient. Dans un endroit comme Io, ça ne traînait pas. Deux infirmiers entrèrent en trombe dans l'hôpital, encadrant la civière où reposait la jeune putain malchanceuse, maintenant inconsciente. Des agents de sécurité leur frayaient un passage; O'Niel suivait à quelques pas. Le Dr Lazarus vint à leur rencontre et commença à examiner la jeune fille. Il y eut un peu de remue-ménage, mais sans trop de confusion. Lazarus encourageait son personnel en braillant des ordres à tout venant. La surveillante-chef essayait de tout organiser, mais n'y réussit pas aussi bien qu'elle aurait voulu.

Les brancardiers s'arrêtèrent aux admissions d'urgence où Lazarus et ses auxiliaires couvrirent le corps de la blessée d'un film protecteur stérile, puis le firent basculer dans un cylindre transparent. La doctoresse s'approcha de la console du scanner et fit quelques mises au point.

Un bourdonnement s'éleva de sous le cylindre et celui-ci pivota d'un quart de cercle. Aussitôt, trois écrans vidéo s'animèrent et commencèrent à diffuser quantité d'informations. Les deux premiers montraient une radio du squelette entier et une coupe médiane du cerveau; sur l'autre, on voyait un encéphalogramme, plusieurs autres diagrammes et une multitude de colonnes chiffrant le rythme cardiaque, la composition du sang, etc.

O'Niel attendait à côté, les yeux fixés sur le visage tuméfié de la jeune fille. Il regrettait de ne connaître qu'un minimum de médecine. C'était plus grave qu'il n'avait d'abord supposé.

– La mâchoire inférieure est probablement fracturée, marmonnait Lazarus. A un endroit au moins, peut-être plus. Le nez aussi, sans doute. Contusions sur tout le corps et le visage. La blessure au cou est superficielle, Dieu merci. (Elle prit le temps de jeter un regard scandalisé à O'Niel.) Jésus! Qui est-ce qui lui a fait ça?

– Un ouvrier, dit-il, sans quitter la jeune fille des yeux. Un grutier, prétendu stable... Comme toujours. Un coup de folie. Ça arrive, ici, vous vous rappelez?...

Lazarus ne releva pas. Ce sarcasme-là, elle devait l'avoir mérité. A leur première rencontre, elle s'était montrée plutôt désagréable avec le marshal. En tout cas, ce n'était ni le moment ni l'endroit pour s'envoyer des piques.

– Rien à la colonne, annonça-t-elle après avoir examiné l'agrandissement d'une radio. Ah, au fait, j'ai la liste que vous m'avez demandée... Hémorragie interne au rectum. Bon Dieu, il n'y a pas été de main morte, le bonhomme. Je ne sais pas ce qu'il a, mais j'aimerais bien lui dire un mot entre quatre's yeux.

– Vous n'aurez pas ce plaisir, il est mort.

Lazarus eut une réaction sans doute indigne d'un disciple d'Hippocrate, mais compréhensible :

– Bien, dit-elle spontanément.

– Et pourquoi ne l'avez-vous pas amenée à mon bureau? reprit O'Niel.

– La liste?

Elle manipula quelques boutons. A l'intérieur du cylindre, un petit palpeur descendit sur le ventre meurtri de la jeune prostituée puis se rétracta.

Apparemment, cela n'avait rien fait, mais les chiffres changèrent rapidement sur le troisième écran, de nouvelles informations codées apparurent et la jeune fille frémit.

– Je ne fais pas de visite à domicile.

– Désormais, vous en ferez. (Puis, montrant la jeune fille de la tête :) Est-ce qu'elle va s'en tirer?

– Peut-être... Si vous me laissez faire mon travail.

O'Niel sourit, secoua légèrement la tête et s'écarta de quelques pas. Il remarqua au fond d'un couloir une série de bacs disposés comme les alvéoles d'une ruche contre un grand mur blanc. C'était la morgue de la mine. S'étant approché, il vit que les bacs se présentaient sous forme de tiroirs, avec une vitre sur le côté, embuée par le froid. Lazarus, cependant, concentrée sur le scanner, poursuivait l'examen de la blessée. Malgré la buée, O'Niel put discerner l'intérieur des tiroirs et, bientôt, il fronça les sourcils. Les deux tables d'opération situées à côté de lui étaient immaculées : elles n'avaient manifestement pas servi depuis longtemps. Une voix s'éleva soudain dans son dos.

– Vingt-huit en six mois.

Le Dr Lazarus avait dit ça sur un ton blasé. N'importe comment, elle avait cet air-là en permanence.

– Et avant ça, combien, je me demande? murmura-t-il.

– Vingt-quatre, j'ai de l'initiative.

– Un point pour vous.

Il se retourna vers l'espèce de columbarium réfrigéré et commença à tirer un à un tous les tiroirs. Ils étaient propres, aseptisés... et tous vides. Lazarus le regardait faire.

– Mmm, vous voudrez peut-être savoir le taux de décès au cours des six mois d'avant? Hein, allez-y, demandez voir au cours des six mois précédents! (O'Niel ouvrit les yeux avec curiosité.) Deux, dit-elle.

– Deux! (Il la fixa avec stupeur.) Et... Et... Vous avez remarqué quelque chose?

– Je suis peut-être désagréable, mais je ne suis pas stupide. Bien sûr que j'ai remarqué quelque chose. Vous ne m'avez pas demandé une statistique de loto.

– Votre opinion?

– Je ne sais pas quoi en penser. J'estime que la plupart des gens ici n'ont pas les deux pieds dans leurs pompes, si vous voulez mon avis. Que certains se mettent à dérailler complètement cela ne me surprend pas tellement. A vrai dire, je ne sais pas pourquoi il n'y en a pas plus.

O'Niel tira le dernier tiroir. Il était vide, comme les autres, l'habillage intérieur reluisant, exhalant une odeur d'ammoniaque. Il le referma d'un coup sec.

– Où est-ce qu'ils envoient les corps?

– D'habitude, ils les mettent dans la première navette en partance. On les emballe dans du plastique et on les largue à mi-chemin de la station relais. C'est comme leur cérémonial d'immersion dans la marine, là, toute cette foutaise!

Lazarus n'était pas très lyrique. Io accueillait surtout les gens réalistes et ne s'embarrassait pas de rêveurs.

– La compagnie essaye de faire ça décemment, avec un certain panache. Vous savez, dans le genre : « Et maintenant, nous abandonnons son corps aux vastes espaces intersidéraux, dont il a contribué à repousser les frontières. » En réalité, ils font une économie sur le coût de chargement jusqu'à la Terre. C'est efficace. C'est déprimant, mais c'est efficace.

Très efficace, fut obligé d'admettre O'Niel.

L'embarcadère était désert. C'était la plus vaste zone pressurisée sur Io. Le jour du transit hebdomadaire de la navette, l'endroit débordait d'activité, hommes et machines s'affairant autour du vaisseau afin de le charger le plus vite possible. D'énormes containers pleins de minerai étaient transportés dans les soutes béantes, au moyen de puissants chariots élévateurs, qui bringuebalaient sur les rampes d'accès. Mais pour lors, rien de tout cela, le prochain convoi de minerai n'était pas attendu avant le lendemain. Les docks fonctionnaient au ralenti, on n'entendait que des bribes de communication radio et le bourdonnement continu des machines qui, en l'absence de l'homme, assuraient les tâches de magasinage et d'inventaire. Au bout du débarcadère, le grand créneau où venait s'arrimer la navette et les sas de décompression annexes étaient illuminés par des projecteurs. Partout ailleurs, là où s'entassaient des montagnes de marchandises, régnait l'obscurité.

Une ombre se profilait entre ces murs de containers, évitant prudemment les taches de lumière. Elle semblait petite, à côté des gigantesques caissons d'ilménite. De temps en temps, la silhouette s'arrêtait et se penchait sur une caisse. Seules semblaient l'intéresser les plus petites, celles qui ne contenaient pas de minerai.

L'emblème de la compagnie, en grosses lettres orangées fluorescentes, était collé sur le dessus et les flancs de chaque container.

O'Niel marchait à pas de loup d'une caisse à l'autre, prenant toujours soin de ne pas se faire repérer. Il avait parcouru presque toute la longueur de l'entrepôt quand il tomba sur deux caissons dont les étiquettes retinrent son attention. Il inspecta soigneusement la première, prit connaissance de la liste de produits qu'elle contenait, du mot FRAGILE imprimé en haut et en bas, puis reporta son attention sur la suivante.

Dessus, au lieu de FRAGILE, il y avait simplement marqué : A LARGUER.

O'Niel retint son souffle, et vérifia d'un dernier coup d'œil qu'il était bien seul.

Méthodiquement, il ouvrit quatre loquets qui sautèrent avec un bruit sec puis, rassemblant ses forces, il poussa des deux mains la porte du container. Celle-ci roula lourdement sur ses rails et O'Niel commença à sonder l'intérieur avec sa torche.

Le rayon électrique balayait des piles de boîtes métalliques, de cylindres scellés, de sacs de déchets plastifiés. Certains portaient les trois triangles noirs, le vieux sigle atomique. La mine et son équipement étaient largement alimentés en énergie solaire, mais plusieurs sections individuelles, comme l'hôpital, utilisaient des composants radio-actifs. Au fond du container, tassé dans un coin, O'Niel découvrit un sac argenté en amiante qui l'intrigua. Il sortit de sa poche un boîtier muni d'un cadran lumineux et l'approcha à bout de bras du sac. Le cadran était d'un vert franc; pas trace de jaune, ou pire, de rouge.

Les déchets radio-actifs de Io étaient strictement conformes aux normes de sécurité. Il pouvait poursuivre en toute tranquillité sa petite inspection.

Le mystérieux sac comportait une fermeture à glissière qu'il commença à ouvrir. D'abord apparurent des cheveux, puis un front, un nez, et deux grands yeux ouverts, vitreux, comme gélifiés pour l'éternité. O'Niel ne s'attarda pas sur cette mine peu séduisante.

Il écarta les rebords de la housse et découvrit la poitrine de Sagan qu'on avait rétamée d'une plaque orange.

O'Niel fouilla à nouveau dans la poche de sa veste. Un moment, il chercha. Puis ses doigts reconnurent le verre de la seringue. Il reprit son souffle et se passa l'avant-bras sur le front. Après quoi, il pointa l'aiguille de la seringue à la base du cou du mort. Le sang ne coulait plus dans ses veines; la pompe cardiaque s'était tue, mais celle de la seringue aspira quelques C.C. d'un épais fluide pourpre.

6

Le bip-bip ne voulait pas s'en aller. Depuis qu'elle était petite fille, d'innombrables cauchemars, heurtés de sons bizarres, la tourmentaient. Ça te passera! lui disaient les adultes stupides et les docteurs. Ce ne sont que des lubies, des produits de ton imagination, envoyés par le marchand de sable pour ensorceler tes rêves d'enfant.

Tiens! des clous!...

Au contraire, l'âge mûr n'avait fait qu'aggraver ses angoisses. Pire encore que tout ce qu'elle avait pu redouter autrefois. Et ça avait disparu. Aujourd'hui, le mauvais rêve n'était plus qu'un visiteur occasionnel, qu'elle devait tolérer un petit moment avant de l'envoyer promener. Comme une visite de la belle-famille, en somme. Au cours de son premier voyage, elle s'était aperçue que le fait de dormir loin de la Terre diminuait la fréquence de ses cauchemars. Une fois de plus, les explications des médecins apparaissaient inutiles. C'était un phénomène que d'autres voyageurs avaient aussi observé et au sujet duquel les psy s'arrachaient les cheveux. C'est bien fait, pensait-elle, il y a tout de même une justice quelque part.

Io était à peu près l'endroit le plus lointain où l'on pût aller, à moins d'appartenir à l'équipe d'exploration qui filait toujours vers Neptune, ou à celle de pionniers qui préparaient l'exploitation de Titan. N'étant qualifiée ni pour l'une ni pour l'autre, elle considérait Io comme son terminus, son bout du monde à elle. Cela dit, s'il n'y avait eu cette bienheureuse diminution de ses cauchemars, elle serait retournée sur Terre depuis longtemps.

Ce sont des idées que tu te fais, lui assuraient ses amies psychiatres, tu es guérie, en rentrant chez toi, tu seras libérée de tes mauvais rêves, tu verras.

Des idées? Tiens donc! On lui avait déjà fait le coup. De toute manière, une autre raison l'obligeait à rester dans l'espace : elle n'avait pas de foyer, nulle part où aller, ni famille, ni racines, plus rien. Elle vivait désormais parmi les éprouvettes et les microscopes, dans un univers restreint, mais qui suffisait à abriter ce qui lui restait de désirs et d'aspirations. Et pour l'instant, son seul véritable souci était de dormir en paix. Elle s'agita sur son lit. Cela faisait près de deux mois que quelque chose d'aussi violent ne l'avait tourmentée. Le bip-bip continuait obstinément, la faisait trépider jusqu'aux os. Bizarre... Un cauchemar purement auditif. Eh! mais... Peut-être que ce n'était pas du tout un cauchemar...

Elle ouvrit les yeux, cilla dans le noir. Le bip-bip se poursuivait. Trop fatiguée pour jurer, elle roula sur le côté et, appuyant sur le bouton, fit enfin taire la sonnerie de l'interphone. La voix qu'elle entendit était grave, insistante, vaguement familière. Elle essaya vainement de se représenter l'interlocuteur et, encore groggy, marmonna :

– Allô!

– Lazarus, c'est O'Niel, je veux vous voir à l'hôpital immédiatement.

Elle tâtonna au-dessus du lit, à la recherche du tableau d'éclairage. Le laboratoire s'éclaira et elle repoussa les draps couvrant la table de massage sur laquelle elle avait dormi. Un coup d'œil à la pendule suspendue au mur d'en face ne fit qu'accroître sa mauvaise humeur :

– Vous savez l'heure qu'il est?

– Oui.

– Allez vous faire pendre!

Elle coupa l'interphone. Mieux eût valu un vrai cauchemar. Ce genre de réveil inopiné, un mal chronique dans son métier, était épuisant. Elle descendit péniblement de la table et tituba jusqu'au lavabo le plus proche où elle s'aspergea le visage d'eau froide. De maquillage, elle ne voulait pas entendre parler, y ayant renoncé depuis longtemps en faveur d'un masque plus subtil.

Le marshal arriva quelques instants plus tard. Il tenait à la main une seringue; l'œil avisé de Lazarus vit tout de suite qu'elle était pleine de quelque chose d'organique. Il la lui tendit.

– Très joli, observa-t-elle en l'élevant devant ses yeux.

– Oui, vous aussi. J'ai besoin que vous m'analysiez ça.

– Vous m'avez réveillée à une heure pareille pour une foutue analyse?

Elle était trop interloquée pour être vraiment fâchée.

– C'est important.

– Il y a intérêt...

Elle le conduisit devant un terminal qu'elle contempla en soupirant, avant d'enfoncer quelques touches. Plusieurs petits écrans vidéo s'illuminèrent, et quatre tubes de verre tenus par des doigts métalliques jaillirent d'un panneau situé en dessous. Lazarus répartit le contenu de la seringue dans les quatre tubes, dosant rapidement, mais avec précision, puis régla quelques boutons.

Les quatre éprouvettes escamotables revinrent en place. O'Niel alla chercher une chaise et l'amena devant la console.

– Il y en a pour longtemps?

– Vous rigolez. Vous êtes dans un hôpital, ici, pas au dépôt. Quand nous faisons une recherche, nous avons besoin de réponses rapides.

Elle tendit le doigt vers les écrans où des colonnes de données commençaient déjà à apparaître. O'Niel montra la première colonne.

– Alors, qu'est-ce que ça donne?

– Pas grand-chose. (Elle s'approcha de l'écran en fronçant les sourcils.) Là vous avez le groupe sanguin, le taux de cholestérol, les globules blancs, l'oxygénation... Ce sang vient d'une personne décédée. Du moins quelqu'un pour qui je ne peux plus grand-chose...

– Première hypothèse, exacte.

Elle sourit, discrètement.

– Les symptômes sont on ne peut plus nets. Malheureusement, le cas est désespéré. (D'autres indications se formèrent, en lignes fluorescentes sur l'écran.) Pas d'alcool, murmura-t-elle. (Chiffres et caractères continuaient à apparaître, tandis que la machine entreprenait l'analyse méthodique de la pièce à conviction d'O'Niel.) Il ou elle a dîné, annonça Lazarus. Protéines, hydrates de carbone... beaucoup d'hydrates de carbone. Peu de sucre... pas de dessert, on dirait. Tiens, c'est étonnant.

– Pourquoi?

– Parce qu'en général, de tout ce qu'ils servent au mess, c'est la seule chose qui leur plaise. Pas de nicotine, reprit-elle après une pause. (Puis :) Des tranquillisants.

O'Niel se pencha en avant, essayant vainement de déchiffrer les formules qui couvraient le cadran.

– Des tranquillisants? Vous êtes sûre?

– Ouais. (Elle se mordilla les lèvres et tapa une question sur le clavier.) Ce sont les cachets de la compagnie, modèle standard. Pourquoi cette question?

– Parce que le type qui avait ce sang-là dans les veines ne se comportait pas du tout, du tout tranquillement.

– Ah oui? Eh bien, j'aime autant vous dire qu'il est tranquille, à l'heure qu'il est. (Elle reporta son attention sur la liste d'informations qui continuait à s'allonger, mais plus lentement. Les principaux renseignements de base étaient maintenant connus. Une analyse plus approfondie demandait une procédure plus complexe.) Le taux d'hémoglobine est normal... était normal. Pour la vitesse de sédimentation, il faut attendre un peu. (Soudain, Lazarus plissa le front.) Tiens, tiens!

– Quoi?

Elle semblait hésitante et fronça encore davantage les sourcils.

– Attendez, je ne suis pas encore sûre, c'est bizarre. (Ses doigts jouèrent sur les touches, formèrent une combinaison, à quoi l'ordinateur réagit en montrant quelque nouvelle formule chimique. Elle dactylographia alors une question, mais rien ne changea sur l'écran.) Merde!

Lazarus essaya en vain une autre combinaison, hocha la tête de dépit.

– Qu'est-ce qui se passe? demanda O'Niel.

– Ah, là là!... Du matériel d'une telle qualité et une épave comme moi pour s'en servir! (Elle soupira et montra l'écran d'un geste las. Celui-ci était allumé, mais vide.) C'est là que je voulais que ça apparaisse.

– Mais quoi?

– Eh bien, quelque chose; une substance indéterminée. Du calme... Je n'ai pas encore fini. (Elle recommença à régler l'ordinateur. Aucun résultat. Finalement, elle s'affala sur sa chaise, croisa les bras et expliqua :) Vous savez, on ne fait pas beaucoup de médecine de prestige, ici, O'Niel. Les médecins de la compagnie sont comme ceux de la marine, autrefois. Un praticien qui se respecte ne va pas venir faire carrière dans un purgatoire comme

mais curieusement, le jus noir avait ce matin-là
meilleur goût. O'Niel savourait sa troisième tasse
dant l'ordinateur inerte. Il hésitait à s'en servir
uite. « Je commence à m'accrocher à ce truc-là,
t-il en contemplant le fond de sa tasse. Peut-
es rumeurs disent vrai et que c'est réellement
de pétrole. Je me demande ce que la compa-
d'autre. »
nt à son monitor. Ça, au moins, ce n'était pas
n. O'NIEL. W.T. ENQUETE MEMBRES PER-
CUR.PRIOR.CONFID, tapa le marshal. A quoi
répondit promptement : O'NIEL W.T. PRO-

RAVAILLANT SUR IO DEPUIS PLUS D'UNE
nanda-t-il. La réponse fournit quatre

DERICK. ADMINISTRATION
NNETH R. SECURITE
IAN L. MEDIC
. INTENDANCE
vit :
ACCES PRINCIP. SECTEURS RESER-

immédiate :
TRANSPORT
D. COMPTABILITE
ETH. R. SECURITE
L.MEDIC
LOISIRS ET ADMINISTRATION
ITE.
le dernier nom et alluma une ciga-
es minutes, il ne fit qu'examiner la
la mémoriser. Puis il reprit ses
: NOMBRE ET IDENTITE D'EM-
CASIER JUDICIAIRE? Là, l'ordina-
le temps.
Il fallait s'y attendre, sur Io. 17,
is, en bon ordre alphabétique :

Io, surtout lorsqu'il peut rester sur Terre et s'acheter vingt hectares aux îles Carolines...

– Il y a quelque chose, ici, hein? fit O'Niel en montrant les écrans lumineux.

– Peut-être. Pas sûr. (Elle décroisa les bras et s'attaqua de nouveau au clavier.) Je passe mon temps à distribuer des tranquillisants aux ouvriers et des excitants aux cadres. Oui, je sais, c'est illégal. Et après? Vous allez m'arrêter? (Il ne réagit pas et elle poursuivit son radotage, tout en tripotant les touches.) Je fais aussi des certificats attestant que les prostituées de la compagnie n'ont pas la syphilis... Prenez deux aspirines et rappelez-moi demain matin. C'est un gag de médecin, vous vous rappelez? Tout ça pour vous dire, O'Niel, que je ne suis pas un génie et que je ne sais pas analyser une nouvelle molécule. C'est au delà de mes ambitions, comme de mes compétences. (Soudain, de façon inespérée, le monitor récalcitrant s'anima. Des lignes et des orbes colorés s'ébauchèrent, tracées par une invisible main électronique, comme une œuvre de géométrie abstraite, quoique la fonction de l'ordinateur ne fût nullement artistique.) Tiens, du nouveau, dit-elle, retrouvant un peu de sa bonne humeur.

O'Niel ouvrait grand les yeux, bien incapable d'interpréter ce qu'il voyait.

– C'est une drogue?

– Oui, en plein dans le mille, fit Lazarus en hochant la tête.

– Quel genre?

– Une minute.

Au-dessous du graphique apparaissaient maintenant des lignes d'informations écrites. Diverses combinaisons atomiques clignotaient, en alternance avec le modèle moléculaire qui tournoyait sur un axe invisible.

– Un narcotique (1), en tout cas... Jamais rien vu de pa-

(1) « Narcotic », dans l'américain populaire parlé par l'auteur et Lazarus, signifie non pas : ce qui fait dormir, mais : toxique illégal. Les narcs : les stups. (N.D.T.)

reil et j'en ai vu... Vous ne pouvez pas vous imaginer le nombre de toxiques que l'on passe en fraude ici... D'ailleurs si, vous pouvez imaginer. Celui-là est synthétique. Je hais ces trucs-là. On ne sait jamais d'où ça vient. (Un dernier symbole chimique vint s'ajouter à la chaîne moléculaire. L'ordinateur émit un bip intermittent, annonçant la fin de l'analyse. Simultanément, l'image se stabilisa et deux mots encadrés apparurent en clignotant.) Voilà, tilt! murmura Lazarus. (Puis, se cambrant, les mains sur les hanches :) Euthimal polydichlorique!

– Ça ne me dit strictement rien.

Lazarus se tourna vers lui et, d'un air très professionnel :

– Eh bien, ça devrait, pourtant. Le polydeuth est une amphétamine. Un machin à vous faire sauter au plafond. C'est le plus fort des psycho-analeptiques. (Elle fit un large et faux sourire.) On se sent divinement bien.

– Au point de ne plus ressentir l'effet des tranquillisants de la compagnie?

– Au point de ne plus rien sentir du tout. Vous faites quatorze heures de travail en six heures, voyez, ce genre d'ineptie. Ça marche surtout pour les tâches manuelles. On a envie de travailler comme un cheval. L'armée l'a testé il y a quelques années. Je me souviens de l'article qui en parlait. Ça fait travailler tout le monde, O.K., et puis ça les rend psychotiques. Il faut un moment. Dix, onze mois, parfois plus. Ensuite, l'organisme commence à payer. Ça vous grille la cervelle. En pharmacie, on nous a dit et répété que les toxiques de synthèse sont toujours nocifs tôt ou tard.

– Vous disiez que c'était synthétique. On pourrait en fabriquer ici?

– Non, impossible. (Elle balança le bras vers le monitor.) Dans la station, il n'y a que ce matériel – et encore – avec quoi on puisse faire de la chimie analytique d'une telle complexité. Analytique seulement. Ne parlons pas d'élaborer un produit pareil. Les composants sont excessivement instables, les manipulations délicates, il faut des

chercheurs très qualifiés. Même
nous les importons.

Le cerveau d'O'Niel ne fonc
vite que l'ordinateur, pourta
vait et déduisait avec agilité

– Pas d'autopsie, on n'y
Les mineurs produisent p
mine est plus productiv
prime, le travail a l'air
content. Les petits effets
jamais. Le temps que le
est achevé. Enfin, d'ha
Sagan et Cie; ceux-là
Grande Ourse. Au b
dealer ne sache m
sérum-vérité les
appuyait son rais
mal, comme pla

Il se dirigea v

– Bon, écou
même pas qu
sonne. Il y a
se sache pas
tueux enver

– Comm
le raccom
Je m'en
épave.

– Oui
quelle

Pui
se re

L
tri
su
s

caféine,
un bien
en regar
tout de s
murmura-
être que l
un dérivé
gnie y met

Et il revi
de l'imitatio
SONNEL-SE
la machine
CEED.

CADRES TR
ANNÉE? der
noms :

COOPER FRE
MONTONE KE
LAZARUS MAR
SELWAY MARY

O'Niel poursu
CADRES AYANT
VES?

Nouvelle réponse
ORME CHARLES.
TRINGHAM DAVI
MONTONE KENN
LAZARUS MARIAN
SHEPPARD MARK.
O'NIEL W.T. SECUR

Il sourit en lisant
rette. Pendant quelq
liste en essayant de
questions indiscrètes
PLOYES AYANT UN
teur mit un peu plus

O'Niel secoua la tête
répondit le monitor, pu

ALABIN THOMAS.R.
ANDERSON WILLIAM.G.
BONDO DOMINIC.R.
DE PAUL RAYMOND.F.
DUMAR ROBERT.E.
FOSTER PETER.F.
FREYMAN MARIN.E.
HALPERN GEORGE.R.
HOOPER MARK.G.
KUNARD FREDERICK.C.
LOOMIS CHARLES.E.
MONTINEZ ELVIRA.T.
SPOTA NICHOLAS.P.
YARIO RUSSEL.B.

O'Niel étudia la liste avec grande attention. Les noms n'étaient que des noms; difficiles à faire coïncider avec des visages. Il demanda quand même une précision importante. Naturellement si ça ne donne rien, se dit-il, j'en serai quitte pour recommencer de zéro. DETAILS DES DELITS. COMBIEN DE CONDAMNATIONS POUR DROGUE ET QUI?

L'écran se brouilla, O'Niel retint son souffle.

2 :

SPOTA NICHOLAS.P
YARIO RUSSEL.B.

ACTIVITES A LA MINE? tapa O'Niel, tellement précipitamment qu'il dut s'y reprendre.

SPOTA NICHOLAS.P. : LOISIRS
YARIO RUSSEL.B. : FRET

Ah! voilà qui était intéressant. Il s'accorda un léger sourire. QUI LES A RECRUTES?

SHEPPARD MARK.B. O'Niel tapota sur le bord du clavier, puis ordonna : CLICHES ANTHROPOMETRIQUES SPOTA NICHOLAS.P. ET YARIO RUSSEL.B. SECRET. Cette dernière précaution était destinée à éviter que la personne s'aperçoive que son casier avait été consulté. Un visage d'homme apparut bientôt sur l'écran. Il y avait deux portraits, un de face, un de profil. A peu près quarante ans, estima tout de suite O'Niel. Energique, imaginatif; oui enfin, la description pouvait aussi bien s'appliquer à quatre-vingt-dix pour cent des gens qui travaillaient à la mine. Sous la photo, il y avait l'identité du délinquant : YARIO RUSSEL.B. Quant à l'autre, dont le portrait se présenta ensuite, O'Niel le reconnut sans peine. C'était celui d'un type particulièrement remuant, qu'on voyait toujours en train de traîner d'une section à l'autre. Il était environ du même âge que Yario, plus mince, les cheveux plus foncés. O'Niel photographia mentalement les deux visages. Puis il appuya sur un bouton au-dessus du clavier et transmit ses consignes : FAIRE SURVEILLANCE FILMEE DISCRETE DE YARIO RUSSEL.B. ET SPOTA NICHOLAS.P. RETRANSMISSION STRICTEMENT CONFIDENTIELLE. AFFIRMATIF, répondit docilement la machine. Enfin, O'Niel tapa : FIN DE MESSAGE, et ceci s'inscrivit aussitôt en lettres clignotantes sur l'écran.

Il y avait trois sections à la mine qui fournissaient plus d'énergie qu'elles n'en consommaient. Premièrement, la station solaire, dont dépendait toute l'alimentation électrique de la station. Deuxièmement, le réacteur nucléaire, qui fonctionnait rarement. Troisièmement, le club qui, lui, ne s'arrêtait jamais.

La fille qui dansait dans un cylindre transparent, sous les éclairs du stroboscope, n'avait pour tout vêtement qu'un léger voile de nylon qui lui ceignait les hanches. Elle tournoyait sur un rythme obstiné, au son d'une musique diffusée par des enceintes mobiles. C'était surtout de la percussion sur synthétiseur.

Au-dessous, sur une piste circulaire, se trémoussaient des hommes et des femmes : une houle déchaînée.

Un autre cylindre, occupé par un homme, encore moins vêtu que sa partenaire, était suspendu à côté. Au bout d'un moment, les deux cages de verre mues par une machinerie encastrée sous le plafond, commencèrent à se rapprocher. Puis elles descendirent sur la scène, s'ouvrirent comme une fleur et les deux entraîneurs sautèrent au milieu du public, sans cesser de danser. Ils exécutèrent alors une parade érotique lascive, stimulant les spectateurs en vrais professionnels. Dans la foule, les gens criaient pour se faire entendre par-dessus le tonnerre de la sono. Des « assistants de loisirs » employés par la compagnie circulaient parmi les clients. Parfois, on voyait deux hommes, main dans la main, un couple de femmes. Les choix restaient limités par la nature. Quant à la pudeur, elle était refoulée... reléguée depuis longtemps en quelque région de l'orbite lunaire.

Un homme de grande taille, bien habillé, traversa le club et vint s'asseoir au bar. Un des barmen sourit à Spota et, se retournant vers un distributeur chromé, lui servit son cocktail favori.

Entre les conduites d'oxygène et les spots qui éclairaient la salle, habilement dissimulé à intervalles réguliers, veillait un objectif, guère plus grand qu'un capuchon de stylo.

O'Niel était assis dans son fauteuil devant une batterie d'écrans vidéo et suivait attentivement les images qu'ils rediffusaient. Sur l'un des écrans, on voyait une passerelle déserte, sur un autre, un panorama de la cafétéria, sur un troisième, le club. L'image se mouvait lentement et, quand la caméra balaya le bar, O'Niel, soudain plus vigilant, se pencha en avant et toucha quelques boutons. Plan fixe, zoom avant, mise au point, bientôt apparut une vue rapprochée de Spota, bavardant avec le serveur. Il y eut une brève discussion entre ce dernier et le caissier, après que Spota leur eut montré sa carte de crédit. Les deux entraîneurs s'étaient séparés et avaient réintégré leurs balancelles respectives.

Assis sur son tabouret, Spota les suivait des yeux. O'Niel résista à l'envie d'en faire autant avec la commande du zoom. Le gaillard était malin et il ne voulait pas risquer de le laisser filer.

Les vestiaires étaient en pleine agitation; on entendait des claquements de portes, des exclamations : l'équipe de nuit venait de rentrer du travail. Des files de mineurs sortaient des ascenseurs, certains avec leur casque à la main, ce qui constituait une violation flagrante du règlement et un défi à la mort qui surveillait patiemment la moindre fausse manœuvre. D'autres se changeaient déjà, trébuchant à cloche-pied en s'extrayant de leurs scaphandres.

Ceux-ci allaient ensuite s'empiler en vrac dans un coin du vestiaire, en attendant d'être réglés, nettoyés ou seulement révisés, le plus petit défaut pouvant être fatal. Un peu plus loin, les équipes du matin faisaient la queue devant les tankers d'oxygène.

Spota entra, anonyme, dans cette foule disparate.

O'Niel, qui le suivait toujours d'un écran à l'autre, vida d'un coup sa cinquième tasse de café et se brûla sauvagement le palais. Cet autoperco à la flan chauffait depuis un bon bout de temps, évidemment. Tout de même, un réglage s'imposait. Il vit Spota s'engager dans une allée et échanger quelques mots avec des mineurs. Aucun d'eux ne l'envoya paître, quoi qu'il leur en coûtât de s'attarder au vestiaire. Spota était visiblement pas mal aimé de ses collègues; il était assez populaire.

O'Niel serra les dents et pesta mentalement contre l'absence de bande son. Par moments, pensa-t-il, ce serait bien utile de savoir lire sur les lèvres. Il pouvait toujours garder la bande pour la faire déchiffrer par quelqu'un qui savait, mais de toute façon, la moitié du temps, Spota tournait le dos à la caméra. C'était très frustrant.

La poussière arrivait toujours à s'infiltrer dans les hangars du débarcadère. C'était comme une cour de ranch texan par un jour d'août en plein midi; un nuage jaune, sulfureux se propageait partout, soulevé par les magasiniers qui s'activaient autour des lourds containers.

Un des manœuvres emporta une pile de caisses sur un chariot automatique qu'il téléguidait en marchant à côté. Il s'arrêta pour redresser la pile, dut s'y reprendre à deux fois en jouant du boîtier de commande et d'un pied de biche, puis repartit en suant à grosses gouttes. Comme la plupart des autres secteurs de la station, les docks étaient surchauffés.

Le magasinier s'appelait Yario. Il était si baraqué qu'il semblait capable de porter tout seul les containers de minerai. Il avait un tatouage sur le bras, une sirène mamelue. O'Niel le regardait travailler, remarquant son habileté à manier l'élévateur. Il n'était pas aussi rapide que certains, il était peut-être un peu moins adroit, mais il ne faisait pas d'erreur.

L'attention du marshal se répartissait entre deux écrans, Spota et Yario, une conversation muette et une chaîne de mouvements répétitifs. La journée s'annonçait longue.

Yario s'épongea le front et consulta sa montre. Il confia son chariot à un collègue, tomba la veste et partit en direction de la sortie des docks. La caméra le perdit de vue quelques minutes et le retrouva bientôt au club. Celui-ci ne fermait jamais. Les équipes de serveurs, de consommateurs et de prostituées se succédaient sans relâche. Yario vint s'accouder au bar et commanda un sandwich.

Au bout d'un moment, le magasinier partit à la recherche d'une partenaire et arrêta son choix sur une jeune fille blonde et dodue.

Entre-temps, Spota avait achevé sa tournée du vestiaire et entrait maintenant dans les douches. La caméra le suivit; O'Niel luttait pour ne pas s'endormir.

Peu après, il vit Yario s'enfermer avec sa nana dans une chambre de passe et en ressortir un quart d'heure plus tard. « Il faudra bien que quelque chose se passe à un moment ou à un autre, se dit O'Niel. Pourvu que je tienne bon. »

Il engloutit les restes d'un sandwich entamé la veille.

Sur l'écran, Yario avait reparu dans son hangar.

La matinée s'écoula. Spota fit quelques flippers, remplit un ou deux dossiers. Yario trimbalait toujours ses caisses.

Les paupières d'O'Niel lui pesaient comme du plomb.

En fin d'après-midi, le club accueillit une nouvelle fournée de travailleurs qui vinrent se presser autour du bar.

Un moment, Yario sortit dans un couloir, Spota dans un autre et leur image disparut de l'écran qui se brouilla et resta vacant, le temps de les repêcher ensemble à la porte du club. O'Niel s'étira et croisa ses jambes sur son bureau. Spota, jouant des coudes au milieu de la bousculade, engagea une conversation au bar avec un gigolo. Yario s'assit seul à une table. Ça, c'est marrant, pensa O'Niel. Il n'aurait jamais pris Spota pour un gay.

Une petite heure s'était écoulée ainsi, sans événement notoire, lorsque Spota et son acolyte rejoignirent Yario à sa table. Tous trois commandèrent des drinks et se mirent à bavarder tranquillement.

Les danseurs gesticulaient à côté, l'un d'eux renversa le verre de Yario qui montra un admirable sang-froid en ignorant l'incident. Aux yeux d'O'Niel, ceci le rendait encore plus dangereux. Jusque-là, tout s'était passé comme il l'espérait. Deux autres individus entrèrent dans le champ de la caméra et se joignirent au trio attablé. Le premier était Sheppard. C'était une surprise de taille; en principe, un tel homme n'avait pas sa place dans un endroit populeux comme le club.

Quant à l'autre... O'Niel eut un choc... C'était Montone. Il ajusta l'objectif, qui détailla son visage. Pas de doute, c'était bien le sergent.

Spota congédia son gigolo et les quatre hommes allèrent s'installer à une table au fond de la salle. Ils se lancèrent aussitôt dans une vive discussion, se penchant les uns vers les autres, comme pour se protéger des indiscrétions.

O'Niel pianota impatiemment sur le bord de sa console. Le conciliabule ne dura pas longtemps. Spota et Yario se levèrent les premiers et s'éloignèrent, traqués par l'objectif. O'Niel alluma précipitamment un autre monitor et stabilisa l'image sur la table où Sheppard et Montone poursuivaient leur conversation. Finalement, Sheppard se leva à son tour, laissant Montone seul devant son verre, et il partit retrouver les deux autres qui l'attendaient près de la piste.

O'Niel soupira et mit le monitor vidéo en position d'enregistrement.

7

La balle rebondit sur le mur élastique et revint comme une fusée au fond du court. Elle était un peu plus grosse et plus lourde qu'une balle de tennis ordinaire et la raquette dont venait de la frapper O'Niel était plus courte de manche et tressée avec un câble de nylon extra résistant. La balle traversa d'un trait les six mètres du court et Montone, les pans de sa chemise au vent, s'élança juste à temps pour la renvoyer d'un revers lifté.

O'Niel, en short et baskets, attaqua la balle comme un ennemi à abattre. Aucun des deux joueurs ne montrait une grande adresse. Montone, plus âgé, mais mieux entraîné, utilisait surtout les balles coupées et placées. O'Niel cognait comme un charron en attendant que son adversaire s'essouffle.

Le sergent pressentit la trajectoire de la balle et réussit à la faire dévier hors de portée de son boss. O'Niel se précipita puis ralentit en voyant qu'il ne l'aurait pas à temps.

– Merde! s'écria-t-il, les poings sur les hanches en fouettant l'air de sa raquette.

Il recula et attendit le service de Montone.

– Neuf/sept.

Le sergent loba, O'Niel monta au mur, bondit, reprit la balle de volée et emporta le point.

– Neuf/huit, annonça-t-il, et il souffla un peu, les mains sur les genoux, pendant que Montone allait rechercher la balle.

– Alors, vous allez cracher le morceau, oui ou non? demanda-t-il en haletant.

Montone ne répondit pas, lui lança la balle de la main et revint sur sa ligne. O'Niel servit dans un angle difficile, Montone réagit à temps et fit un drive qui obligea le marshal à courir maladroitement à reculons.

– Quel morceau?

O'Niel venait de heurter la balle. Son retour se révéla un peu faible et le sergent marqua facilement le point suivant.

– Sheppard, dit le marshal.

Montone pâlit légèrement, soupesa la balle et la fit rebondir plusieurs fois par terre sans daigner regarder son partenaire.

Enfin, il servit, très coupé, et à l'extrême gauche du mur.

– Qu'est-ce que vous voulez savoir?

Le service ne trompa pas O'Niel qui, bien concentré, renvoya sans difficulté d'un puissant coup droit.

– Jusqu'où trempez-vous là-dedans?

Montone, troublé par la question, manqua son lift et la balle ricocha au plafond avant d'aller se perdre au fond du court.

Les deux hommes baissèrent leur raquette et se regardèrent.

– Pas très profond, répondit Montone.

– Ça veut dire quoi, ça?

– Eh bien heu... je suis payé pour fermer les yeux.

– Ah, je vois. (O'Niel sortit une autre balle de sa poche et servit.) Vous ne faites rien de mal, vous ne participez pas vraiment. Et vous ne faites rien de bien non plus, c'est ça? (Montone ne mouffeta pas et répondit assez mollement au tir de son patron. Celui-ci poursuivit :) Je vais faire tomber Sheppard.

Le sergent, cette fois, parut abasourdi.

– Vous parlez sérieusement? demanda-t-il.

– Oui.

O'Niel fonça sur la balle amortie, la manqua de peu et roula par terre, les quatre fers en l'air.

Montone saisit l'occasion pour récupérer à son tour.

– Ce n'est pas un endroit pour les héros, ici. On ne vous fera pas de pub pour un gros coup de filet, et vous n'aurez pas non plus d'avancement si vous réussissez, ce qui m'étonnerait. Vous vous attaquez à plus fort que vous ne croyez.

O'Niel se releva lentement, reprit sa place au bout du court, et attendit, immobile, le service de Montone. Celui-ci prit la balle en main et loucha vers le marshal dans l'attente d'un commentaire.

– Vous servez, oui ou quoi? fit O'Niel impatiemment.

Le sergent fronça les sourcils et, de dépit, jeta sa balle derrière le mur.

– Vous irez la rechercher, dit poliment le marshal.

– Je vous rappelle qu'il s'agit d'un P.-D.G., pas d'un dealer de quatre sous qui trafiquote en fin de mois. C'est vraiment une grosse tête à la compagnie; big money, big boss, O'Niel, méfiez-vous, ils sont puissants. On ne les rencontre jamais nulle part, on ne voit que les en-têtes de leurs lettres, mais ils ont le bras long. Ce type a des branchements au plus haut niveau, et pas qu'avec la compagnie. Franchement, c'est sérieux. Ne mettez pas votre nez là-dedans et ils vous foutront une paix royale. Ça vaudra beaucoup mieux.

– Pour qui? demanda O'Niel en lui lançant un regard furieux.

Montone soupira et partit récupérer sa balle.

– Je ne vous comprends pas, marshal, dit-il en revenant, faire tomber Sheppard... Qu'est-ce que ça prouverait?

O'Niel pivota, se posta, jambes fléchies, face au mur puis, voyant que Montone ne servait pas :

– Je n'ai pas besoin de preuves.

– Ah, non?

– Non, ça fait longtemps que j'ai renoncé à prouver quoi que ce soit. Mais je dois arrêter ce trafic et je le ferai. Premièrement, je n'aime pas Sheppard. Je n'aime pas sa tête, je n'aime pas sa voix, je ne l'aime pas, voilà tout.

Deuxièmement, ce truc qu'ils revendent tue des gens. Je n'aime pas trop ça non plus.

Montone regardait ses pieds et respirait avec effort.

– Qu'est-ce que vous comptez faire avec moi ? murmura-t-il.

O'Niel leva sur lui des yeux songeurs.

– Honnêtement, je ne sais pas.

– Vous voulez que je démissionne ?

– Non. Il réfléchit encore un moment. Tous deux restaient sur place, spéculant sur les intentions de l'autre.

Finalement, O'Niel prit une décision. Des hommes comme Montone, il en connaissait plus d'un. Ils comptaient les années avant leur retraite en essayant d'éviter les coups durs, de ne pas se fourrer dans les pattes des gros bonnets. Montone n'était pas diabolique, il était faible, simplement.

– Ne vous mettez pas entre Sheppard et moi, dit-il. Ne parlez pas de cette discussion, ni du fait que je suis au courant. Contentez-vous d'encaisser votre argent en détournant les yeux et faites comme si de rien n'était. Faites pour moi ce que vous faites pour lui. Ce n'est pas vous que je veux, vous n'êtes qu'un pion, c'est lui.

Montone déglutit et, d'une voix à peine audible :

– Je... On ne fait pas toujours ce qu'on veut. Je suis navré.

– Oui, moi aussi, à vous de servir, répliqua sèchement O'Niel.

Les ongles de Yario étaient noirs de crasse et de cambouis. Il se passa une main sur le front, remonta son serre-tête puis fit manœuvrer son chariot en marche arrière.

O'Niel partageait son attention entre les monitors de surveillance et la paperasse qui l'attendait sur un autre écran.

Ça n'était pas commode d'avoir Yario à l'œil tout en remplissant des bordereaux et des laissez-passer.

Les docks étaient en pleine activité. Des nuages de

poussière ocre tourbillonnaient dans le faisceau des projecteurs, hommes et femmes criaient pour se faire entendre par-dessus le vacarme des engins.

Une silhouette familière marchait à grandes enjambées à travers le hangar.

O'Niel, penché sur son clavier, laissa en plan le rapport qu'il tapait et se concentra sur l'écran.

Spota arrivait à la hauteur de Yario; il le croisa sans lui adresser un regard. Quelques minutes passèrent, Yario déposa son chargement à l'endroit voulu, rangea son chariot au bord d'une travée et coupa le moteur. Puis il parla brièvement avec un collègue et partit sur les traces de Spota.

O'Niel patientait, fumant cigarette sur cigarette. Cela faisait maintenant plusieurs journées qu'il passait en face de son monitor.

Il ne s'affola pas en revoyant ses deux suspects. Déjà, il avait connu plusieurs déceptions.

Spota tourna au coin d'une allée et disparut derrière une pile de containers. Yario, qui avait pressé le pas, était alors juste derrière lui. Durant quelques instants, l'objectif les perdit de vue tous les deux.

O'Niel laissa échapper un juron et tenta vainement de régler la position de la caméra.

Yario réapparut le premier et Spota le laissa prendre un peu de distance avant d'émerger à son tour. Les deux hommes s'éloignèrent dans des directions opposées.

O'Niel jouait alternativement de deux caméras de surveillance qu'il dirigeait avec les commandes manuelles. En ce moment peut-être critique, il ne faisait pas confiance au dispositif automatique pour filer le dangereux Spota. Celui-ci, après être sorti des docks, emprunta une succession de corridors, saluant les gens sur son passage de l'air le plus naturel du monde. A un moment, il pénétra dans un compartiment à double porte et ne réapparut pas de l'autre côté. Il fallut à O'Niel plusieurs minutes de manipulation fiévreuse avant de rétablir le contact visuel.

Spota s'avançait maintenant dans le couloir vingt-sept, tout proche du central de sécurité. Bon, se dit O'Niel, c'est le moment ou jamais. Il s'était suffisamment esquinté les yeux à regarder les écrans. Il sortit son revolver de l'étui accroché au mur derrière lui et se jeta hors du bureau, sans même répondre au salut du vigile de service.

Spota, cependant, se dirigeait vers les vestiaires, ignorant qu'il était maintenant traqué par quelque chose de bien plus redoutable qu'un monitor vidéo. O'Niel avait déjà prévu quelle serait sa destination, celle où les échanges avaient généralement lieu. Bien sûr, si Spota était rapide, il pouvait toujours liquider sa marchandise à temps et se présenter au marshal les mains propres et le sourire aux lèvres. Pour le moment, toutefois, il n'y avait rien qui pût l'induire à se méfier, rien qui pût lui faire soupçonner que cette journée trancherait avec la sombre routine des semaines précédentes. L'homme poursuivait tranquillement son chemin en prodiguant sourires et civilités à droite et à gauche.

Spota atteignit le sas conduisant au vestiaire des hommes, l'ouvrit et s'engagea dans une allée. Il dépassa les écrans collectifs, longea les rangées d'armoires et parvint à l'aire de regroupement, encombrée par une cohorte de mineurs.

O'Niel arriva au sas une demi-minute en retard. La porte automatique coulissa avec une lenteur désespérante, le marshal fit irruption dans le vestiaire et s'arrêta, hésitant entre plusieurs allées. Quelques travailleurs levèrent les yeux des grands écrans vidéo et restèrent bouche bée à la vue du revolver.

Spota n'était nulle part.

Ceux qui avaient vu O'Niel l'arme au poing hasardèrent des questions. Le marshal les ignora et s'élança entre les rangées d'armoires, furetant partout dans l'espoir de surprendre son gibier. C'était difficile de distinguer un homme d'un autre dans ces allées surpeuplées. Spota n'aurait pu choisir meilleur moment pour se noyer dans la foule. « Tout doux, se dit O'Niel, inutile d'alarmer toute la station. Ils ne peuvent pas se douter que quelqu'un est au courant de leurs opérations, à moins que Montone ait parlé, mais c'est peu probable. »

Spota contourna les douches et s'engagea dans une autre allée. O'Niel l'entrevit enfin au moment où il disparaissait derrière le premier casier.

Au bout de la travée, un jeune ouvrier avait ouvert son armoire et fourrait son scaphandre dedans avec des gestes impatients. Il accordait peu d'attention à ce qu'il faisait et regardait constamment vers le fond du vestiaire. A l'évidence, il attendait quelqu'un. Ce quelqu'un était Spota et celui-ci se rapprochait. L'ouvrier l'aperçut soudain et se mit à fourrager encore plus fébrilement dans son casier.

O'Niel soufflait comme un phoque et gagnait sur Spota. Il vit les deux hommes se rejoindre et un éclair de désir flamber dans les yeux du jeune mineur. Ce regard, le marshal l'avait déjà rencontré sur le visage de certains drogués. Le jeune homme s'apprêtait visiblement à acheter sa dose à Spota.

O'Niel n'était plus qu'à quelques mètres d'eux lorsqu'il buta contre un mineur qui traversait l'allée.

– Hé! Dites! Vous pourriez faire un peu attent... Oh! Pardon, marshal, je ne pensais pas...

O'Niel voulut le faire taire, mais c'était trop tard. Le bruit et l'exclamation avaient alerté Spota qui se retourna et reconnut le marshal. Il fit un bond de côté, repoussa brutalement son client contre la porte de l'armoire et s'enfuit à toutes jambes.

O'Niel jura et s'élança à sa poursuite. Le dealer avait complètement perdu son sang-froid et il détalait comme un fou, bousculant les gens sur son passage sans prendre garde à leurs protestations. Spota ne savait pas où il allait. Pour le moment, son seul souci était de distancer le marshal. Ce dernier savait que son homme avait le choix entre beaucoup d'endroits pour se cacher provisoirement. Dès lors, un associé malin n'aurait aucun mal à le

faire évader en toute quiétude vers la Lune, et il faudrait recommencer de zéro. O'Niel avait passé des heures et des heures à le surveiller patiemment avant de le prendre sur le fait. Pas question de le laisser filer. Le tumulte et la confusion environnaient maintenant les deux hommes. Des cris de surprise et de mécontentement fusaient à travers le vestiaire, une rumeur de colère qui se propageait encore plus vite que Spota et son poursuivant. Le dealer sauta sur un banc et, prenant appui sur la porte ouverte d'une armoire, grimpa dessus. Tête baissée, il commença à traverser la vaste salle en sautant d'une rangée à l'autre, évitant ainsi la cohue des allées.

O'Niel le suivit et escalada les casiers à son tour en pestant et en râlant. Le temps qu'il se hisse jusqu'en haut, Spota avait franchi la moitié du vestiaire. Son agilité lui donnait déjà l'avantage. Un instant, O'Niel trébucha et faillit se fracasser la tête sur une arête de métal. Il se rattrapa de justesse et, tenace, bondit aussitôt sur la rangée suivante.

Parvenu au bout du vestiaire, Spota, les yeux hagards, ivre de peur et de rage, sauta à terre et se jeta dans un corridor. Il en avait presque atteint l'extrémité quand O'Niel apparut à l'autre bout. Spota ouvrit précipitamment le sas qui était devant lui et disparut sans le refermer. Eût-il seulement tardé trente secondes de plus, le revolver d'O'Niel le fauchait sur place. « Où donc a-t-il filé, la vache? se demanda-t-il, et qu'est-ce qu'il sait au juste? » Ils approchaient maintenant de la cafétéria, laquelle allait être bondée, comme d'habitude.

La foule des dîneurs rendrait une retraite difficile et quasi impossible la dissimulation du polydeuth. Spota fuyait farouchement, mais non à l'aveuglette. De l'autre côté du sas, il y avait un nouveau couloir qui débouchait sur la zone de stockage des produits liquides de la mine. O'Niel fonça dans cette direction et eut bientôt la satisfaction de voir Spota galoper le long d'un chemin de ronde, six mètres au-dessus de la première citerne.

Le marshal ne voulait pas se servir de son arme à

moins d'y être contraint. De plus, certains des produits stockés dans les cuves étaient des acides d'une grande causticité.

Mieux valait éviter les balles perdues.

Sans doute Spota le savait-il aussi car il ne se montrait nullement effrayé par le revolver pointé sur lui. Il commença à descendre l'échelle de la passerelle et, de nouveau, fut hors de vue d'O'Niel. Lorsque le marshal arriva en bas de la première citerne, Spota courait déjà sur le deuxième chemin de ronde, creusant l'écart entre eux. Mais il fuyait sans réfléchir et se retournait tout le temps; la panique le gagnait.

O'Niel prit d'assaut la deuxième échelle, franchit la passerelle d'une seule traite et redescendit de l'autre côté en sautant un échelon sur deux. Au même moment, Spota quittait la salle et arrivait en face d'un nouveau sas. Encore un couloir, un autre sas, puis un second. Le dealer semblait hors de lui, il s'affolait de plus en plus et ne pensait qu'à fuir droit devant lui. Il dut s'arrêter pour déclencher l'ouverture d'une porte et jeta un regard terrifié derrière lui. O'Niel le talonnait, gagnait du terrain à chaque seconde. Avec un cri sauvage, Spota se jeta dans le sas et dévala la rampe d'accès à la cafétéria.

Il y pénétra comme une bombe et se lança à travers la foule, bousculant sans merci les mineurs qui obstruaient le passage. Les plateaux volèrent dans tous les coins, il y eut des hurlements, des injures, quelqu'un reçut un bol de soupe brûlante en pleine figure.

O'Niel arriva au plus fort de la confusion. Comme il l'avait espéré, les collisions répétées avaient ralenti la course du fuyard. Sans perdre un instant, le marshal se précipita, hors d'haleine, le cœur battant. Mais Spota se fatiguait aussi. Il repoussait les gens des bras et des coudes, renversait les tables, faisant tomber plusieurs personnes. Un homme, la bouche ensanglantée, voulut l'arrêter. Mais Spota était déjà loin. Finalement, il parvint devant la porte de sortie qu'il trouva bouchée par un

O'NIEL

groupe de clients qui arrivaient, il regarda à droite, à gauche... Une porte!... Vite, n'importe où, pourvu que la voie soit libre. O'Niel le vit entrer dans les cuisines et bondit par-dessus le comptoir. Le dealer, qui s'était retrouvé parmi les fours et les tables couvertes de plats préparés, tournait en rond, cherchant une issue. Trop tard! Il s'était enfermé... Il entendit les pas d'O'Niel se rapprocher et perdit ses moyens, trépignant de rage et d'angoisse.

Près de lui, une grande marmite d'eau bouillante attendait d'être remplie de cubes de soja congelé. O'Niel n'était plus qu'à quelques mètres. Spota mit la main sous sa chemise, saisit la fiole de liquide rouge et la jeta dans la marmite.

Le marshal n'hésita pas. Il avait attendu ce moment trop longtemps. Plongeant la main dans la marmite avec une grimace de douleur, il rattrapa la fiole et la sortit de l'eau. Il vit alors que le plastique était gondolé mais non fondu. Le liquide était toujours dedans, intact.

Cela donna le temps à Spota de s'emparer d'un long couteau de boucherie. Il s'élança et leva le bras vers la poitrine d'O'Niel.

Celui-ci bondit de côté et la lame ripa sur le bord de la marmite. Tenant alors son revolver par le canon, il voulut répliquer par un coup de crosse, mais Spota avait de nouveau brandi son arme. O'Niel parvint à esquiver le coup et la pointe du couteau lui érafla seulement l'épaule. Du sang jaillit instantanément sous sa chemise. Les deux assaillants s'empoignèrent à bras-le-corps, O'Niel tenta de lui faire une clef au cou mais l'homme se débattait furieusement. Aïe, ça n'ira pas, pensa le marshal, et il lui assena un violent coup de genou dans l'estomac. Spota se plia en deux mais se redressa aussitôt. Il tenait toujours son couteau en main et s'apprêtait à frapper de nouveau son adversaire.

Le revolver partit quatre fois de suite. Les rampes lumineuses, les ustensiles et les sachets de nourriture volèrent en éclats.

Dans l'espace clos des cuisines, la quadruple déflagration fit un vacarme assourdissant.

Spota se figea sur place. Les quatre projectiles avaient tracé un arc d'impacts autour de lui, mais il n'était pas touché. O'Niel, cependant, était à genoux sur le sol et, tenant son arme de la main gauche, la braquait droit sur le front du dealer. Son autre bras dégoulinait de sang.

– Attention, plus un geste! dit-il.

Spota considéra la soudaineté des quatre coups de feu, le demi-cercle que les balles avaient dessiné derrière lui. Dans la main du marshal, le revolver était aussi fixe que les murs de la cuisine.

Lentement, à contrecœur, il laissa tomber son couteau.

8

Les cellules de contention étaient situées tout au fond de la prison, derrière les bureaux du Q.G. de surveillance.

O'Niel, marchant à grands pas le long d'un étroit couloir, longea de larges baies vitrées sur lesquelles figuraient ces mots : PAS DE PESANTEUR ARTIFICIELLE.

Les méthodes de coercition anti-gravité étaient une innovation pénitentiaire relativement récente. Pas facile, pour un homme qui n'a plus de poids, de se révolter ou de faire du scandale.

La pesanteur est un vieil allié du fauteur de troubles. Sans elle, il perd prise et confiance en même temps.

Les cellules non pressurisées avaient chacune un petit sas pneumatique. Les prisonniers portaient des tenues de sécurité spéciales. Au lieu de provenir de bouteilles individuelles, l'air leur arrivait d'un même réservoir central, au moyen d'un long tuyau flexible rattaché à la combinaison; ceci aussi contribuait à assurer leur docilité. On pouvait toujours arriver à se rebeller en apesanteur, mais la relative précarité de l'alimentation en oxygène maintenait l'agitation au niveau strictement minimum.

Pour lors, plusieurs cellules étaient occupées. Deux bagarreurs planaient l'un en face de l'autre et se regardaient en chiens de faïence à travers la vitre de leur casque. Dans un autre compartiment, un des ivrognes les plus turbulents de la mine cuvait tranquillement, flottant dans le vide.

O'Niel leur accorda un bref coup d'œil en remontant le corridor. Il portait deux bandages différents, l'un à l'épaule, l'autre à la main. Une chance que Lazarus n'ait pas été de service lorsqu'il était allé se faire soigner à l'infirmerie. Nul doute, sinon, qu'elle lui aurait réservé quelques-uns de ses commentaires désobligeants dont elle avait le secret.

Derrière le marshal, trottait Montone.

– Et cette épaule, ça va? demanda-t-il, l'air navré.

– Mieux. Ça me lance encore. Où est-il?

– Cellule 37, indiqua le sergent.

– Est-ce qu'il a dit quelque chose?

– Non, il n'a pas pipé mot. La seule fois qu'il a ouvert la bouche, c'est pour accepter à manger.

– Est-ce que quelqu'un a demandé de ses nouvelles?

– Non, personne, jusqu'à présent.

– Si ça arrivait, faites-le-moi savoir.

Montone hésita, hasarda un sourire.

– Cela va sans dire, marshal, non?

O'Niel le regarda et s'abstint de répliquer. Il ne pouvait rien dire qui accablât davantage le sergent.

Ils firent halte devant la cellule 37. Derrière la vitre, Spota nageait dans le vide au bout de son tuyau. O'Niel vérifia machinalement la pression d'oxygène sur la jauge placée près de la porte et alluma l'interphone qui permettait de communiquer avec le prisonnier.

– Spota? C'est O'Niel.

La seule réponse fut un bruit régulier de respiration.

Spota devait se demander s'il avait ou non envie de parler.

– O.K., si vous ne voulez pas répondre, c'est moi qui vais vous faire la conversation, reprit O'Niel. On vient de m'apporter le rapport d'analyse de cette fiole que vous avez essayé de balancer. C'est très intéressant. Vous voulez que je vous dise le résultat? Eh bien, sachez que vous transportiez cent vingt grammes d'Euthimal polydichlorique. Cent vingt grammes, Spota. Cela fait quatre cents doses. Beaucoup de came pour un seul homme. Sale coup pour vous, Spota. Voyons voir... Quatre cents doses, ça va chercher dans les quatre cents ans. Quand vous sortirez, ça ne sera pas avec les cheveux blancs, mais les pieds devant. Même avec les remises de peine pour bonne conduite, vous serez mort depuis longtemps. Et ça, vos patrons s'en moquent royalement. Pour eux, vous n'êtes qu'un numéro. Voilà ce qui vous attend... A moins que nous puissions arriver à une sorte d'arrangement mutuel.

La voix du détenu, lorsqu'il se décida enfin à parler, leur arriva, distordue par le canal de l'interphone.

– Je ne sais pas à quoi vous faites allusion, marshal.

– Bien sûr, dit plaisamment O'Niel, vous n'êtes qu'un innocent, un pauvre passant ignorant. Vous pensiez que vous transportiez une fiole de vin rouge. Dites voir un peu; combien est-ce que Sheppard vous paye pour écouler sa camelote? Un job aussi pourri, ça doit au moins rapporter gros?

– Je ne sais pas de quoi vous parlez.

L'expression d'O'Niel se durcit, mais il garda le même ton cynique et détaché.

– Vous êtes vraiment un dur, Spota, je suis impressionné. Vous, vous n'aurez aucune difficulté à rester ici. La plupart des gens deviennent un peu fous au bout de quelques nuits, parce que le fait de ne jamais toucher le sol leur donne des cauchemars. (Il se pencha contre la vitre, de façon à être bien vu de Spota, et lui sourit.) Parfois, le tuyau fait des nœuds et le prisonnier suffoque.

En apesanteur, on a tendance à vriller pendant le sommeil. Ça n'arrive pas très souvent, mais c'est juste la pensée que ça puisse arriver qui empêche les gens de dormir. (Il s'interrompit, le temps que l'image se grave dans l'esprit du détenu.) Mais vous, Spota, vous êtes un dur, alors ça ne vous créera aucun problème.

– Je vous emmerde, marshal.

– Voilà tout ce que j'aime, Spota, quelqu'un de vif à la détente, qui réplique du tac au tac. (Il ricana dans le micro.) Vous savez quoi, Spota? Je vais vous laisser réfléchir à quelque chose. Vous êtes coincé. J'ai les preuves, j'ai les témoins. Les coups et blessures, rébellion à agent de la force publique, tentative de destruction de preuve, les sas non refermés, et tous les délits dont vous vous êtes rendu coupable l'autre jour au cours de cette petite balade à travers la station, tout ça, ce ne sont que des broutilles. Vous allez être transféré dans une station carcérale par la prochaine navette et vous y ferez un séjour à côté duquel celui-ci vous semblera une partie de campagne. Là-bas, ils auront des ordres pour vous administrer le sérum de vérité; comme ça, on finira bien par vous faire parler.

– Les aveux recueillis grâce au sérum de vérité ne sont pas admissibles par les tribunaux, répliqua Spota avec un peu moins d'assurance.

– Un défenseur des droits de l'homme, maintenant. Vous me sciez, lui dit O'Niel. En théorie, vous avez raison, mais les boys de la station carcérale trouveront un moyen pour que ça passe à l'as. Ils y arrivent toujours. Et dans votre cas, ils feront un effort spécial, parce que la dope que vous vendez tue des gens et les rend fous. Croyez-moi, ils vous soigneront. Quant à Sheppard, il haussera les épaules, recrutera un nouveau larbin et s'engraissera un peu plus. Alors je vous le dis, ne marchez pas avec moi, soyez noble jusqu'au bout et refusez les circonstances atténuantes. Alors, vous crèverez entre quatre murs pendant que Sheppard se fichera de vous. J'ai vu ça des dizaines de fois. Les gaillards comme vous se figurent toujours qu'ils accomplissent une mission très spéciale, et le boss se frotte les mains parce que c'est toujours lui qui gagne, en définitive.

Le marshal prit une longue inspiration.

– Voilà Spota, à vous de choisir. Vous êtes un vrai dur. A plus tard, superman.

Et O'Niel coupa l'interphone, sans attendre de réponse. Qu'il nage un peu dans son jus, se dit-il. Peut-être qu'il flancherait, au bout du compte.

– Que personne ne lui parle. Que personne n'entre seulement dans sa cellule. J'ai dit personne, compris?

– Compris, acquiesça Montone d'une petite voix. Et où repartez-vous, maintenant?

– Ça suffit pour aujourd'hui, j'ai assez bossé. Je crois que je vais dîner en ville.

La pièce était vaste et plongée dans une douce clarté, savamment dosée par une verrière luminescente qui occupait tout le plafond. Des poufs noirs en simili cuir étaient dispersés sur une épaisse moquette verte. Il y avait des tentures de prix sur les murs et même une sculpture posée sur un piédestal, un groupe représentant les neuf planètes du système solaire.

Un bureau massif trônait dans un angle, muni d'un terminal avec un couvercle en marqueterie.

Sheppard était debout en plein milieu et il jouait au golf.

Chaque fois qu'il réussissait un coup, son score s'affichait sur un tableau lumineux, ainsi que la distance franchie par la balle et sa vitesse. Lorsqu'il manquait un trou, une paire de longs bras se déployait en arc de cercle et ratissait la moquette à la recherche de la balle perdue. Celle-ci était ensuite guidée jusqu'à un mécanisme automatique qui la renvoyait au joueur.

Ceci, toutefois, n'arrivait pas souvent. Sheppard était excellent. Il était en train d'étudier le nivellement du tapis lorsqu'une voix s'éleva derrière lui.

– Il est là, monsieur Sheppard.

Le P.-D.G., penche sur son parcours, répondit négligemment :

– Faites entrer.

La porte du bureau soupira et glissa de côté, livrant passage à O'Niel. S'il fut impressionné par la magnificence du décor, il n'en laissa rien voir. Sheppard ne se retourna pas pour le saluer. Il changea de club et repéra longuement son angle de tir avant de frapper la balle, qui fila droit jusqu'au trou, trois mètres plus loin. La machine bourdonna et annonça le nouveau résultat.

– Voyez-vous, commença Sheppard d'un ton badin, il m'est arrivé de franchir huit cents mètres en deux coups au club Ganymède, dont j'ai d'ailleurs remporté la coupe deux années de suite.

Il fit un geste évasif en direction du bar, couvert de siphons et de verres teintés.

– Servez-vous un drink, la vodka n'est pas coupée.

– Non merci.

O'Niel attendait, immobile, les mains derrière le dos.

Sheppard s'avança pour tâter une bosse avec le manche de son club.

– Vous avez fait un sacré boulot depuis quelque temps.

– Oui, vous aussi.

Le manager tapa sa balle, qui alla se perdre sous une chaise.

– Combien voulez-vous? demanda-t-il, d'un même ton désinvolte. (O'Niel ne répondit pas.) Combien?

Le marshal alluma une cigarette et tira une longue bouffée. La fumée s'éleva paresseusement au plafond, avant de disparaître dans une bouche d'aération.

– Il ne manquait plus que ça, murmura Sheppard avec dégoût. Un héros au grand cœur, maintenant. (Et il bloqua du pied la balle que l'éjecteur venait de lui retourner.) Ce plancher était plan, au départ. J'en ai fait surélever une partie et j'ai fait onduler la moquette, pour que ça complique le jeu. Le golf, c'est comme la vie, pour que ce soit intéressant, il faut corser la difficulté, vous ne trouvez pas? (Il loucha vers le marshal.) Mais là, il y a un petit nid de poule imprévu sur la gauche. Ecoutez, O'Niel. Il faut que vous sachiez à qui vous avez affaire. Je détiens une franchise. La compagnie me paye pour extraire le plus possible de minerai de ce maudit trou. Il y a un de mes hommes à chaque poste de la mine. Mes hookers (1) sont réglos, ils présentent bien et n'arnaquent pas le client. Ma vodka n'est pas frelatée, mes danseurs sont sexy et je veille à faire changer les programmes vidéo chaque semaine. Les mineurs sont heureux; ce n'est pas moi qui le dis, c'est eux, demandez-leur. Demandez à n'importe qui, homme, femme, vétéran, Io pue la mort, mais pas la mine.

» Quand les mineurs sont contents, ils extrayent davantage de minerai et touchent une meilleure prime. Je ne leur en prends pas une miette. Tout ce qu'ils gagnent leur appartient. Moi-même, je touche mon chèque de bonus. Quand ils extraient plus de minerai la compagnie est contente. Et quand la compagnie est contente, je suis content.

– Mais c'est merveilleux, tout ça.

– Rien n'est merveilleux, ici, rétorqua Sheppard. Ça marche, un point c'est tout. Chaque année, il y a un nouveau marshal qui vient prendre la relève. Ils connaissent tous les enjeux. Vous les connaissez aussi. Vous n'êtes pas différent. Si vous jouez les héros pour me faire monter les prix... J'y réfléchirai.

O'Niel ne répondit pas et passa quelques minutes à déambuler dans le somptueux bureau. Sheppard daigna enfin lever les yeux de son club et le dévisagea avec une réelle curiosité.

– Qu'est-ce que vous voulez, au fond?

– Vous.

Sheppard soupira et se pencha à nouveau sur sa balle en serrant les dents.

(1) HOOKER : du verbe to hook : accrocher. Revendeur de toxique qui cherche à fidéliser sa clientèle en l'asservissant au produit qu'il vend. (N.d.T.)

– Qu'est-ce que c'est... Mais qu'est-ce qui vous excite à ce point? Que vous vous preniez pour un super condé, mettons, mais qu'est-ce que vous faites dans un trou à fumier comme Io, alors? On ne vous a pas envoyé ici en remerciement de services rendus à la patrie. Vrai ou faux? J'ai lu votre dossier. Chaque fois que quelqu'un pénètre ici, je lis son dossier. Vous voulez savoir pourquoi vous moisissez ici au lieu d'être chef de district à Singapour ou à Miami? Je vais vous le dire. C'est parce que vous avez la langue trop bien pendue. Voilà pourquoi on vous mute d'une chiotte à l'autre. Ça vous regarde, vous menez la vie que vous voulez. Simplement, ne venez pas me marcher sur les pieds, parce que, personnellement, je n'ai pas l'intention de passer ma vie à faire ce que je fais maintenant.

– A la bonne heure.

De la condescendance, le manager vira à l'exaspération :

– Si encore ça pouvait vous mener quelque part, je comprendrais. Mais non... Votre petite charade n'a aucun sens. Ce qui est plus grave, en revanche, c'est que ça me dérange; sinon, je m'en ficherais totalement. Alors avant de vous mêler des affaires des gens, sachez au moins qui ils sont.

O'Niel se détourna et marcha vers la porte.

– A plus tard.

– Si vous cherchez à avoir plus d'argent, ajouta Sheppard en haussant la voix, vous êtes beaucoup plus futé que vous n'en avez l'air. Sinon, vous êtes beaucoup plus con.

A quoi O'Niel répondit avec un large sourire :

– Je suis probablement beaucoup plus con.

– Ça pourrait vous coûter cher.

O'Niel avait encore le sourire aux lèvres en quittant le bureau.

O'Niel n'arrivait pas à dormir. Il roula sur le côté et alluma sa lampe de chevet. L'appartement était tranquille et sombre. Il s'assit sur son lit. A côté de lui, les draps n'étaient pas froissés, le matelas froid. Le silence pesant de la chambre amplifiait le chaos qui régnait dans sa tête. S'il ne pouvait dormir, il ne lui restait qu'à travailler.

Le tumulte des couloirs acheva de le réveiller, mais il retrouva le calme en arrivant au Q.G. de sécurité. Seule la mine carburait sans cesse; l'administration était en sommeil, tous les vigiles en patrouille, il n'y avait pas de raison de laisser quelqu'un assis sur une chaise à ne rien faire. A lui seul, l'ordinateur accueillait les visiteurs, répondait aux questions, transmettait les consignes aux agents disséminés à travers la station.

O'Niel se dirigea d'abord d'un pas traînant vers son bureau où l'attendaient les rapports du jour. Mais soudain, il changea d'avis et entra dans la prison. Peut-être Spota serait-il d'humeur à parler, maintenant.

En remontant le couloir, il jeta machinalement un coup d'œil à l'intérieur de chaque cellule. Les deux bagarreurs avaient été relâchés, remplacés par un nouveau prisonnier. O'Niel lut sa fiche sur la porte; un autre alcoolique. Il poursuivit son chemin. Les cellules elles-mêmes étaient violemment éclairées. Tous les détenus dormaient, leur métabolisme insensible à la lumière crue qui les inondait. Celle-ci était à l'usage des geôliers, non des détenus. Ceux qui voulaient dormir n'avaient qu'à rabaisser la visière de leur casque.

On avait, dans ce corridor vitré, l'impression d'évoluer dans un aquarium. O'Niel aurait, de loin, préféré observer des poissons.

Les spécimens du genre de ceux qui fréquentaient la prison avaient cessé depuis longtemps de l'intéresser. Sauf un, celui de la cellule 37.

Certains prisonniers dormaient en extension, d'autres lovés en chien de fusil. Les récidivistes préféraient cette dernière position, car cela empêchait de trop tournoyer pendant le sommeil.

O'Niel s'arrêta devant la cellule du dealer et alluma l'interphone.

– O.K. Spota, vous avez assez gambergé. Il est temps de parler. (Et comme nulle réponse ne venait : toujours aussi entêté, se dit-il. Spota voltigeait au ralenti, le dos tourné vers la vitre.) Hé! ho! Le dur des durs, là! (Toujours pas de réponse.) Hé!... Mais...

La voix d'O'Niel s'évanouit, il colla son nez à la vitre.

Le tuyau à oxygène relié au scaphandre de Spota avait été coupé.

Quelques bulles de sang dégouttaient de la section encore attachée à son casque, d'autres flottaient lentement le long des murs, s'agglutinant dans les coins.

O'Niel laissa échapper un cri de rage et donna un furieux coup de poing sur la vitre. Puis il s'élança dans le couloir, traversa en trombe le Q.G. désert et fonça vers les bâtiments de l'administration, poursuivi par une idée fixe : Montone.

La porte des quartiers du sergent resta close sous les coups répétés du marshal. Il se pouvait que Montone soit ailleurs.

De toute façon, pensa O'Niel, inutile de se presser; il doit croire que je suis chez moi, en train de roupiller tranquillement.

Usant d'un poinçon pour forcer la serrure, il fit irruption dans la pièce, le visage en feu, le souffle court. Un bref tour d'horizon lui révéla que l'appartement était vide.

– Montone!

Silence complet. Il s'approcha de la couchette du sergent et vit qu'on n'y avait pas dormi. Il lui restait une pièce à examiner avant de filer chez Sheppard. Les mâchoires crispées, il traversa le living et vint frapper à la porte de la salle de bains.

– Montone! Vous êtes là? Nom de Dieu, si vous êtes là-dedans, ne m'obligez pas à vous sortir de force.

Même silence qu'auparavant. O'Niel fronça les sourcils et revint à la salle de séjour qu'il parcourut dans tous les sens, ouvrant les tiroirs, la penderie, cherchant un éventuel indice de départ précipité. Rien de semblable, tout était soigneusement rangé, tous les effets du sergent à leur place.

Soudain, le marshal eut un dernier espoir. Il se précipita vers les toilettes, ouvrit la porte... et trouva Montone. L'homme était mort et ses yeux lui saillaient de la tête. Sa langue, noire et enflée, pendait hors de sa bouche. Un câble de fer était passé autour de son cou et lui liait les mains derrière le dos.

O'Niel resta un long moment à le contempler, puis il soupira et s'agenouilla pour lui ôter ses liens. Il le transporta ensuite sur le divan du séjour et le couvrit d'un drap. Après quoi, le marshal appela l'hôpital par l'interphone.

Lorsqu'il regagna finalement ses quartiers, O'Niel se sentait prêt à craquer. Sur l'écran de l'ordinateur, clignotait le voyant vert annonçant un message. Il s'affala dans son fauteuil et en ordonna la retransmission. MESSAGE CONFIDENTIEL O.NIEL.W.T.-DECODAGE REQUIS.

Du coup, un peu de curiosité vint se mêler à sa déprime. Qu'y avait-il de si important qu'il fallût employer le code maintenant? Il forma la combinaison nécessaire et la machine répondit sans tarder :
SBVD. DTKKHRCY. JBTFWPA.

Fascinant, marmonna O'Niel, puis il tapa : DECODAGE-MOI SEUL.

La réponse de la machine se révéla concise, mais fort intéressante. ARRIVEE CARGAISON ALIMENTAIRE-MONTONE.

Ceci dissipa en lui les derniers vestiges de somnolence. PRECISIONS, demanda-t-il à l'ordinateur. Et celui-ci répéta seulement : ARRIVEE CARGAISON ALIMENTAIRE-MONTONE. Au diable les détails, pensa O'Niel; le message était suffisamment éloquent dans sa brièveté. Il éteignit le monitor et sortit.

Une fois dans le couloir, il ralentit son pas et se prit à réfléchir. Montone, lui, ne voulait pas savoir, ne voulait pas penser.

Il en était mort. Brusquement, O'Niel accéléra et

changea de direction. Un petit détour ne coûtait rien.

Il n'y avait pas de surveillance à l'entrée des docks. O'Niel sortit sa torche, dont le faisceau blanc plongea dans la jungle de containers et de matériel. Il descendit une passerelle, entre deux ascenseurs immobiles. Les battements de son propre cœur lui martelaient les tempes. Les lieux, habituellement bruyants, deviennent d'un calme inquiétant lorsqu'ils sont inoccupés. Plus l'endroit est grand, plus le silence est oppressant.

Il lui fallut quelques minutes pour repérer les containers qui venaient d'arriver par la dernière navette. O'Niel braquait méthodiquement sa lampe sur chaque caisse et bientôt, il s'arrêta devant un container marqué des mots : DENREES PERISSABLES REFRIGEREES.

Il eut quelque peine à ouvrir les serrures qui étaient grippées à cause du froid. Lorsqu'elles cédèrent enfin, et qu'O'Niel ouvrit la porte, une bouffée d'air glacial lui jaillit au visage.

Il se courba et entra dans le container, s'emmitouflant du mieux qu'il put, les doigts dans ses manches, le col boutonné et remonté au plus haut.

Sur toute la longueur du container, de gros quartiers de bœuf raidis par le froid pendaient à des allonges d'inox. La plupart étaient destinés à finir dans les assiettes de la direction et des cadres. Les travailleurs, quant à eux, sauraient se contenter des restes. O'Niel se mit à inspecter les carcasses au petit bonheur la chance, pensant seulement qu'il reconnaîtrait ce qu'il cherchait s'il le voyait.

L'ombre derrière lui, le sifflement au-dessus de sa tête, O'Niel les perçut trop tard. Un fil de fer lui étreignit le cou et se resserra immédiatement, sans qu'il puisse faire un geste. En vain, il tenta d'agripper le garrot, celui-ci entamait déjà le nylon de sa chemise; il n'y avait pas de place pour glisser, ne fût-ce qu'un ongle entre les deux. O'Niel commença à suffoquer.

Yario n'était pas un lièvre, comme Spota. C'était un solide gaillard et il était rompu à ce genre de basse

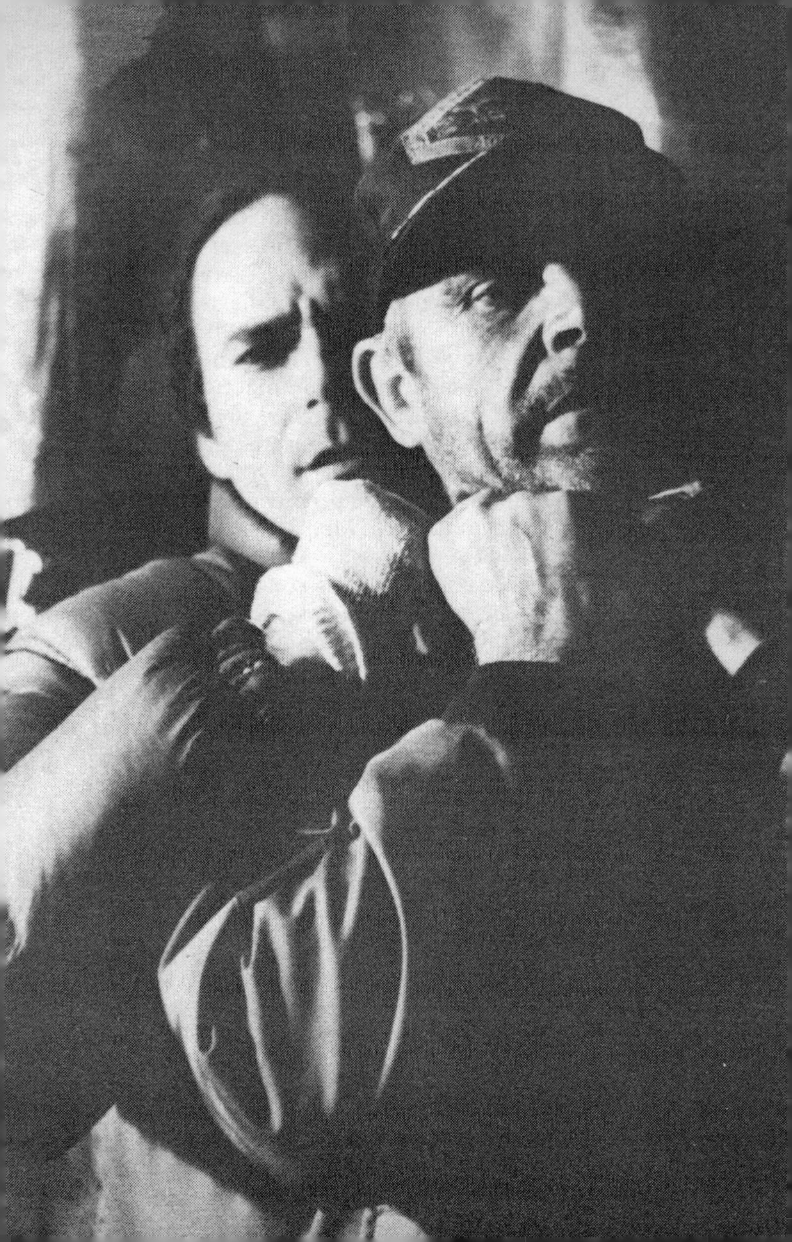

besogne. Il appuya fermement son genou dans le dos du marshal et le souleva de terre.

O'Niel se débattait désespérément, des pieds, des épaules, mais Yario, le visage aussi cramoisi que son adversaire, tenait bon.

Lentement, les ruades d'O'Niel s'affaiblirent, les muscles de son cou se détendirent, ses bras et ses jambes mollirent, sa poitrine s'affaissa.

Avec la force que déployait Yario, nulle feinte n'était possible, pourtant, il ne relâcha pas son étreinte avant d'être sûr et certain que le marshal était mort. Il laissa choir le corps sur le plancher du container. O'Niel avait son compte, il ne viendrait plus fourrer son nez dans les affaires des autres. Les gens ne se poseraient sans doute pas trop de questions. On voyait les flics plutôt d'un mauvais œil, sur Io. N'importe qui pouvait être un tueur en puissance. Que le marshal et Montone aient tous deux disparu en si peu de temps, cela s'expliquerait par une coïncidence fâcheuse. Ça n'était pas son problème. Sheppard et la compagnie sauraient bien se débrouiller. Yario n'avait pas l'habitude de penser. Il faisait juste son boulot, et il le faisait bien, comme O'Niel et le sergent pouvaient en témoigner... enfin plutôt, ne pouvaient plus.

Il ricana à cette pensée, enjamba le cadavre et s'avança vers le fond du container. Les morceaux de bœuf étaient rangés selon leur destination. Sur quelques-uns, on voyait la mention : CAFETERIA; sur la plupart : ADMINISTRATION; tout au bout de la rangée, enfin, il y en avait un avec cette indication : GENERAL MANAGER.

Yario émit un grognement de satisfaction et commença à tourner impatiemment autour.

C'est alors qu'il reçut un formidable coup dans le dos et fut projeté contre la paroi du frigo. La force de l'impact, jointe à la surprise la plus totale, le désarçonna complètement, ce qui donna à O'Niel le temps de lui assener un direct en plein dans le nez. Il y eut un terrible bruit de noix brisée et, du visage de Yario, pissa un jet de sang qui se figea instantanément dans l'air glacé du container.

Yario se ressaisit quand même et se campa devant O'Niel, chancelant comme un ours blessé, les bras ouverts, prêt à l'étouffer de nouveau. Mais le marshal, qui n'était pas décidé à laisser une seule chance au magasinier, lui fonça dedans, tête baissée. « Whoosh », fit Yario en se pliant en deux, et aussitôt, O'Niel lui rectifia le portrait d'un magistral coup de genou dans la mâchoire. L'homme s'affaissa sans un cri entre deux longes de bœuf. O'Niel recula et s'appuya contre la porte pour reprendre son souffle. Yario gisait, inconscient, à ses pieds. Dangereux adversaire, celui-là, se dit-il, bien plus redoutable que le regretté Spota. Le marshal déboutonna le haut de sa chemise et mit à jour le collet de protection en plastique rigide, profondément entaillé par le fil de fer. Si Yario avait maintenu son emprise quelques minutes de plus, il aurait bel et bien fini par le sectionner. O'Niel se pencha sur son agresseur et s'assura qu'il était hors d'état de nuire. Il ne tenait guère à se colleter de nouveau avec un tel malabar. Puis il s'approcha du morceau de bœuf qui avait attiré Yario, remarqua avec satisfaction le nom de son destinataire et l'inspecta soigneusement avec sa lampe. Il semblait n'y avoir rien d'anormal, ni trace de couture ni marque particulière. Il frappa alors dessus avec ses doigts et eut la surprise d'entendre sonner creux. O'Niel commença à trembler et sonda fébrilement la carcasse de haut en bas. A un endroit, cela sonnait plus creux qu'ailleurs.

Plongeant la main dans la poche de son pantalon, il sortit un petit couteau. Ce n'était qu'un vieux canif de boy-scout et non un de ces scalpels au rayon laser en usage à l'hôpital, mais enfin, cela devait faire l'affaire. Il commença à découper la chair congelée autour de l'endroit suspect. Quand il eut pratiqué un trou suffisamment grand, il entra sa main dedans, tâtonna à l'intérieur, et bientôt, son visage s'illumina d'un large sourire. Utilisant à nouveau son couteau, il agrandit le trou et s'aperçut que les flancs de la bête étaient entièrement évidés.

A la place d'os et de chair, il y avait plus d'une centaine

de ces sacs de plastique rouge que transportait Spota. Chacun devait contenir environ deux cents grammes d'Euthimal. Quatre cents doses par sac. Quarante mille doses proprement emballées dans un quartier de bœuf. Bel investissement. Il ne restait plus qu'à évacuer le tout, tâche fastidieuse, mais qu'O'Niel entreprit avec grand plaisir,

Il avisa dans un coin un carton rempli de bouteilles de vin, également destinées au General Manager, et le vida à la hâte, sans se soucier de la casse. Puis il commença à le remplir avec les petits sachets de plastique.

9

Sheppard était confortablement installé dans un fauteuil et suivait la retransmission vidéo d'une compétition de golf.

– Alors, toujours fana de sport en chambre? s'exclama une voix sortant de l'ombre.

Le manager se leva d'un bond et aperçut O'Niel, debout à l'extrémité de la pièce. Derrière lui, une silhouette féminine s'agitait en poussant de petits cris effrayés.

– Excusez-moi, monsieur Sheppard, je lui ai dit que vous ne vouliez pas être dérangé, mais il...

– Ça ne fait rien, Darlène, vous pouvez disposer.

La jeune femme hésita, puis s'effaça discrètement.

– Bon bon... si c'est contraire à la loi... (Sheppard revint nonchalamment se placer devant son monitor et tendit le doigt vers l'écran.) Vous avez vu ce drive, hein! Mr MacKeen est mon adversaire favori. Qu'en dites-vous?

O'Niel s'avança à travers le bureau.

– Hé! Sheppard, vous ne devinerez jamais ce que j'ai trouvé dans une chambre froide? Arrivage direct de la dernière navette...

– J'ai comme l'impression que vous allez me le dire, même si je n'en ai pas envie.

O'Niel poursuivit, avec un plaisir non dissimulé :

– Eh bien, j'ai trouvé deux cent cinquante livres de hamburger alias Yario, un de vos zèbres. J'ai également trouvé votre récente cargaison d'euthimal. J'ai jeté le hamburger en prison et l'euthimal dans les toilettes... Ou alors, attendez, n'était-ce pas le contraire? Bref, j'ai bouclé le hamburger dans une cellule avec une serrure à combinaison connue de moi seul, afin qu'il ne reçoive pas de méchante visite pendant son sommeil.

Sheppard essaya de montrer un sourire jovial, mais n'y parvint pas. D'une voix cassée, il dit :

– Oh, mais dites donc, c'est qu'on va certainement vous décorer pour ce coup-là.

– Vous êtes fier de moi?

– Disons franchement que vous m'en mettez plein la vue.

Sheppard mit son magnétoscope en vitesse d'enregistrement, puis il ouvrit un placard, sortit un caddy et se choisit un club. Après quoi, il déposa sa balle au début du parcours et, sans plus attendre, l'envoya avec succès dans le premier trou.

– Joli coup, approuva O'Niel.

– Vous avez réellement détruit toute la cargaison?

– Oui. Ça en fait beaucoup, n'est-ce pas? Le business doit bien marcher à cette cadence. Il y avait là de quoi envoyer au suicide au moins une centaine de personnes.

– Vous avez réellement tendance à dramatiser.

– Non. A vrai dire, je préfère travailler dans la tranquillité. Mais dites-moi, est-ce que c'était cher?

– Plus que vous ne pourriez jamais imaginer.

– Difficile à remplacer?

– Ah... Vous n'avez pas idée...

– Eh bien, mais c'est que vous allez vous retrouver au chômage, alors?

Le manager remit son club dans le caddy et avança de

quelques pas en tournant le dos au marshal; puis, soudain, il fit volte-face et, le toisant d'un air défiant :

– Je crois que je vous ai mal jugé, O'Niel. Ma première impression était entièrement fausse, et ceci est inhabituel. Vous n'êtes pas stupide, vous êtes fou. Est-ce que vous vous figurez vraiment que vous avez fait plus que de causer un léger désagrément? Un désagrément onéreux, j'en conviens, mais rien qu'un petit désagrément. Non franchement, à votre idée? (Il secoua la tête d'un air accablé.) Retournez polir votre badge chez vous, marshal. Vous avez affaire à des gens influents et puissants, vous n'êtes pas à la hauteur. Vous ne voyez donc pas ce que vous risquez?

– Qui que soit l'expéditeur de cette cargaison, je vous parie qu'il va en faire une maladie. Les gens puissants et influents, comme vous dites, n'ont pas tellement l'habitude de rigoler de ces choses-là. (Il se détourna et, désignant le parcours :) A votre place, je me servirais d'un club nº 9, pour ce coup-là. Heu... Allez-y doucement. Le creux n'a pas l'air trop profond, mais si vous ne prenez pas garde, vous risquez de vous enterrer, attention!

Et sur ce, le marshal prit la direction de la porte.

– Marshal!

O'Niel s'arrêta, sans se retourner.

– Vous êtes mort, vous m'entendez, vous êtes un homme mort.

Le marshal ouvrit la porte et sortit sans répondre.

O'Niel emprunta l'ascenseur, parcourut plusieurs corridors et parvint ainsi au niveau le plus bas de la mine. Plus il descendait, moins il rencontrait de gens. Dans les profondeurs de la station vivait un appareillage complexe, le cœur de la machinerie de Io.

Celle-ci fonctionnant et s'entretenant toute seule, il était rare que des êtres humains s'y aventurent. Seuls quelques réglages demandaient une intervention de temps en temps. O'Niel arriva en bas de la dernière passerelle et tourna sur sa gauche, après avoir brièvement consulté un plan. C'était précisément un de ces petits réglages qu'il comptait maintenant faire. Il se trouva bientôt devant un sas qui comportait cette notice : BAIE ELECTRONIQUE. Le marshal, qui tenait en main une petite mallette noire, déclencha l'ouverture du sas et entra. Le local ressemblait à un mausolée, c'était un immense hall bas de plafond, avec des rangées de châssis verticaux divisés en compartiments, et s'étendant à perte de vue. Chaque compartiment contenait les fils et les relais correspondant à un secteur de la station. On entendait le bourdonnement continu de l'énergie emmagasinée par les piles solaires. O'Niel longea plusieurs blocs-relais, en se référant constamment à son plan. Les îlots de circuits intégrés et de mémoires étaient de grandeurs très variables, certains énormes, comme ceux des quartiers des mineurs ou de la cafétéria, d'autres plus modestes, tel celui de l'hôpital. Finalement, le marshal trouva celui qui portait la mention : General Manager System. Des rangées de plaques métalliques couvraient les îlots comme les écailles d'un poisson et des torons de fibres enveloppées dans du plastique opaque les reliaient entre eux. En haut de chaque panneau, il y avait une petite fente. O'Niel repéra celle qu'il cherchait et y glissa sa carte d'identité personnelle « spécial-sécurité ». Une colonne de voyants multicolores se mit alors à clignoter, puis resta allumée. Le panneau s'ouvrit, découvrant un réseau inextricable de fils, de câbles en fibre de verre et de circuits imprimés. Il les examina attentivement et finit par localiser un essaim de fibre de verre, une véritable toile d'araignée, point de connexion de multiples fils d'ordinateurs et de communication interspatiale.

En se servant du code des chiffres et des couleurs, il suivit patiemment le trajet de plusieurs fils avant de trouver celui qu'il voulait. Ensuite, il ouvrit la petite valise qu'il avait amenée avec lui. Dedans, il y avait tout un méli-mélo de fils électriques et de composants électroniques, ainsi que divers outils, rangés dans une pochette séparée. O'Niel sortit un petit morceau de fibre de verre avec une mèche transparente aux deux extrémités et plaça l'une d'elles sur le câble connecté avec l'administration. Puis il enfonça l'autre bout dans une fiche à l'intérieur du terminal marqué du mot : monitor. Aussitôt, les deux extrémités transparentes se fondirent à leurs points de contact réciproques, formant une soudure parfaite. En raison de leur composition chimique isolante, il ne pouvait pas y avoir d'interférence avec les messages transmis par le biais des fils ainsi détournés. Et comme il n'y avait pas d'interruption du flux électrique, à peine une légère baisse de tension, compensée à l'autre bout de la ligne, nul ne pouvait deviner cet ingénieux bricolage.

O'Niel remit tout bien en place et ferma le panneau; les voyants lumineux s'éteignirent, le marshal referma sa mallette et quitta tranquillement la vaste salle. Personne ne l'avait vu entrer et personne ne le vit sortir.

Le Q. G. de sécurité débordait d'activité, lorsque O'Niel y entra le lendemain matin. La plupart des vigiles de l'équipe de jour étaient déjà là et bavardaient bruyamment en attendant leurs nouvelles affectations. Quelques-uns remarquèrent l'arrivée du marshal et poussèrent leurs voisins du coude. Le niveau sonore des conversations baissa peu à peu.

Ballard, le premier, vint à sa rencontre.

– Bonjour, marshal.

– Bonjour. Quoi de neuf?

Ballard réfléchit un moment, puis :

– Quelqu'un est entré par effraction dans le quartier des femmes. On ne sait pas si c'est un pervers, un amoureux éconduit ou un cambrioleur. En tout cas, le type a été surpris et a détalé sans demander son reste.

– Des empreintes?

– Rien d'assez net pour qu'on puisse faire des recherches. Je suis repassé derrière pour voir si on avait bien tout relevé... Surtout après ce qui est arrivé avec ce Sagan. On ne tient pas à ce qu'un autre cinglé nous file entre les doigts.

– Je doute fort qu'il s'agisse d'un cas semblable, répondit O'Niel; sinon, le gars ne se serait pas enfui; Sagan, en tout cas, ne l'aurait pas fait. Mais vos scrupules étaient justifiés. A part ça?

– Pas grand-chose. Les poivrots de service, les plaintes habituelles de Mme Machard au sujet des mateurs. Et puis une fausse alerte au feu, au niveau deux de l'administration. Ah oui! il y a eu une bagarre surprenante à la cafétéria.

– A quel propos?

– Eh bien, j'ai d'abord cru que c'était en rapport avec l'effraction dans le dortoir des femmes. Une histoire de jalousie entre deux amants, ou quelque chose de ce genre. (Il secoua la tête.) En fait, pas du tout. C'est juste quelqu'un qui est passé devant un autre dans la file d'attente. (O'Niel haussa les yeux au ciel.) Ouais, incroyable, hein? poursuivit Ballard. Comme si les mineurs parqués ici n'avaient pas assez de problèmes. Enfin, n'importe comment, il n'y a pas eu trop de dégâts. Une arcade fendue, quelques dents cassées, plus le bris de matériel, qu'ils payeront de leur poche, évidemment. (Il fit un geste du pouce derrière lui.) On les a coffrés tous les deux.

O'Niel approuva d'un signe de tête puis, soudain, fronça les sourcils en voyant le col de Ballard.

– Où sont vos galons de sergent?

L'autre eut l'air embarrassé.

– Ah... heu... Oui, mais vous savez, marshal, comme ça ne fait que quelques jours que le sergent Montone... Enfin, j'ai pensé...

– Vous êtes le nouveau sergent, l'interrompit O'Niel. Vous mettez vos galons, ou alors vous ne portez pas d'uniforme du tout. Mettez-les. Tout de suite.

– Bien, marshal.

Et Ballard alla s'exécuter sans broncher.

De son côté, O'Niel partit vérifier la pression d'oxygène devant la cellule de Yario. Elle était stable, quoique plus élevée que la normale, à cause du gabarit du prisonnier. Celui-ci était amoché – on voyait ses pansements à travers son scaphandre –, mais bien vivant.

O'Niel n'essaya même pas de l'interroger. Spota lui avait appris à ne pas se faire d'illusions.

De retour dans son bureau, il s'assit devant sa console. Avant de l'allumer, il s'offrit quelques minutes de relaxation et observa le groupe de vigiles rassemblés derrière la cloison. Ils font une chouette équipe, murmura-t-il; jeunes, presque tous. Ils se prennent pour des durs à cuire, comme les mineurs, et sont sur Io pour la même raison : l'argent. Beaucoup sont mariés, avec ou sans enfants. O'Niel se demanda combien d'entre eux se dégonfleraient au moment crucial. Car il allait y avoir du grabuge, c'était sûr et certain. Sheppard n'était pas du genre à se laisser botter le cul sans répliquer.

O'Niel soupira, reporta son attention sur la console, et l'alluma : O'NIEL W.T.

O'NIEL W.T., CODE SECURITÉ? répondit la machine. Il composa son code. PROCEED, indiqua l'écran. MOI SEUL, tapa le marshal. Puis, jetant un œil vers la cloison vitrée, il constata que les agents étaient tous rassemblés au milieu du Q.G., en train d'écouter les consignes de Ballard. Personne ne risquait donc d'entendre le message confidentiel du monitor.

RESULTATS SURVEILLANCE COMMUNICATIONS SHEPPARD MARK.B.?

Ce que les ordinateurs ont de merveilleux, comparés à un agent en chair et en os, pensa-t-il, c'est non seulement la rapidité de leur réponse, mais le fait qu'ils ne perdent jamais de temps en discussions vaseuses. Ils vous donnent les faits, nom de nom, rien que des faits.

QUATRE COMMUNICATIONS, rapporta la machine. TROIS INTÉRIEURES, UNE LONGUE DISTANCE.

Ah! voilà qui était intéressant. Pas vraiment inattendu, mais intéressant. Il semblait que Sheppard ne fût pas homme à avoir des arrière-pensées.

DESTINATION COMMUNICATION LONGUE DISTANCE?, demanda-t-il. A quoi le monitor répondit : STATION ALPHA SPHÈRE TRANSJUPITERIENNE, RETRANSMIS-

SION, ordonna O'Niel. Un bafouillage incompréhensible sortit du haut-parleur. Le marshal arrêta la bande immédiatement et commanda : FILTRAGE. L'ordinateur grésilla, il y eut un bruit de parasites, puis le cliquetis annonçant l'amorce d'une communication. L'écran vidéo s'anima et montra le visage de Sheppard. Le manager était assis à son bureau, l'air fortement préoccupé, attendant manifestement la réponse à un appel. O'Niel se réjouit mentalement.

– Allô? fit une voix inconnue.

Sheppard sursauta et se pencha vers son micro.

– Bellows?

– Oui, c'est moi, répondit l'interlocuteur.

Sur un autre clavier, O'Niel dactylographia : FAIRE RECHERCHES DENOMMÉ BELLOWS, STATION ALPHA, SPHERE TRANSJUPITERIENNE.

– Ici, Sheppard. Il faut qu'on discute sérieusement.

– Ah oui, il serait temps! acquiesça Bellows. Qu'est-ce que vous fabriquez là-bas?

Lui aussi avait l'air très contrarié. Un sourire de satisfaction éclaira le visage d'O'Niel.

– Juste quelques petits problèmes, poursuivit Sheppard.

– De gros problèmes, vous voulez dire. Vous commencez à déplaire à certaines personnes.

– Comment ça? Qu'est-ce qu'il y a?

– Il y a que certains pensent ici que vous n'êtes pas capable de conduire les opérations qu'on vous a confiées. D'après ce que j'ai entendu dire récemment, il semblerait qu'ils n'aient pas tout à fait tort.

– Dites-leur que je m'occupe de tout. J'aurais seulement besoin d'emprunter quelques-uns de vos meilleurs hommes; pour un ou deux jours, pas plus.

– Et les deux que vous aviez? demanda Bellows. Je croyais qu'ils faisaient du bon boulot?

– Oui, c'est vrai, mais jusqu'à un certain point uniquement. Il y a eu des obstacles imprévus. Et puis ils manquaient d'expérience. Envoyez-moi vos hommes, et je me charge de tout arranger. Je n'en ai besoin que pour un petit moment. Après, ils pourront rentrer.

Bellows ronchonna, sembla ruminer sa réponse, puis :

– Mes hommes ne sont pas disponibles comme ça, du jour au lendemain.

– Ecoutez. Ils veulent que tout rentre dans l'ordre, oui ou non? Alors faites ce que je vous demande et dites-leur que ce sera vite réglé.

– Quand est-ce que vous en auriez besoin?

– Il faudrait qu'ils arrivent par la prochaine navette. Le plus tôt sera le mieux.

Il y eut une pause, durant laquelle Sheppard affecta de prendre un air soucieux et suppliant. O'Niel trouvait que le manager apitoyait très bien.

– Je vais voir ce que je peux faire, déclara finalement Bellows. Mais ça ne va pas être commode; ils sont durs à convaincre.

– Juste quelques jours, répéta Sheppard. Ce n'est pas énorme, compte tenu de l'investissement qu'il s'agit de sauvegarder.

Bellows finit par donner son accord, quoique à regret :

– Bon, on va essayer. Je vous rappelle plus tard sur la même ligne.

Il y eut à nouveau une série de cliquetis, puis l'image de Sheppard s'effaça de l'écran.

O'Niel réécouta mentalement la conversation, tout en fixant distraitement les ombres qui se mouvaient derrière la vitre dépolie. Les derniers vigiles enregistraient les instructions de Ballard. Ils disparurent bientôt, suivis du sergent, et le marshal se retrouva plongé dans le plus grand silence.

Il se retourna alors vers sa console et tapa : SUITE A COMMUNICATION SHEPPARD MARK.B. / BELLOWS? AFFIRMATIF. APPEL A 18 h 30.
RETRANSMISSION FILTRÉE, ordonna O'Niel. Nouveau bruit de friture, précédant la tonalité interspatiale. Le visage de Sheppard réapparut sur l'écran.

– Allô?

– Oui, ici Bellows, répondit la voix maintenant reconnaissable. Les hommes que vous avez réclamés vont arriver. Ça n'a pas été facile. On est très mécontent de vous, ici. Cette histoire pourrait dégénérer et créer des troubles dans les autres stations minières.

– Je ne vois vraiment pas comment, répliqua Sheppard. C'est un problème strictement local.

– C'est vous qui le dites, gronda Bellows. Si par malheur la compagnie apprenait ce qui se passe, ils nous tomberaient dessus à bras raccourcis. On aura la paix, tant que nos opérations se dérouleront tranquillement. Mais ils ne peuvent pas se permettre le moindre scandale. Vous savez bien ce qui se passerait, si les médias s'emparaient de cette histoire. Ce serait la fin de la compagnie dans tout le secteur. En plus, mes hommes risqueraient de perdre leur business et ils aiment bien faire du business.

– Moi aussi, enchaîna Sheppard. Dites-leur de ne pas s'inquiéter. De quelle trempe sont les hommes que vous m'envoyez?

– Ce sont les meilleurs. C'est ce que vous aviez demandé, non? Eh bien voilà; ils arrivent par la navette de dimanche prochain.

– Ils auront leur armement, j'espère?

Sheppard parlait d'un ton très professionnel, à peu près comme s'il s'agissait de réceptionner une douzaine de nouveaux compresseurs.

– Evidemment! Qu'est-ce que vous croyez? Que je vous envoie une paire de Duponts ou quoi? Ce ne sont pas des punks de la zone comme Spota et Yario. Ces gars-là ont de la classe. Ils amènent tout ce dont ils ont besoin. Vous n'avez qu'à donner vos instructions et je transmettrai. Après ça, vous restez tranquille dans votre coin et surtout, vous n'intervenez pas, vous les laissez faire leur boulot. Compris? S'il y a quoi que ce soit de modifié à leur arrivée, ils feront demi-tour immédiatement.

– Ne vous faites pas de soucis. Je n'ai pas l'intention de

changer de stratégie en cours de route. J'aime autant que cela soit vite fait, bien fait. Alors, en ce qui concerne les instructions, il s'agit d'éliminer un nommé O'Niel; c'est le marshal de la station.

– Bon Dieu! (Bellows, maintenant, avait l'air paniqué.) Je croyais qu'il s'agissait d'un mineur bavard ou d'un vigile. Mais le marshal... Je vous préviens, Sheppard, vous avez intérêt à ne pas faire de faux pas.

– Non, non, tout ira bien, assura le manager d'une voix confiante.

– Bon, O.K., alors. Ce sont vos oignons.

Bellows ne semblait pas envier le sort qui attendait Sheppard dans les jours à venir.

– Exact, oui.

– Qu'est-ce qu'il aura comme appui, votre O'Niel? Non pas que ça puisse changer grand-chose, remarquez, mais enfin, mes hommes doivent en être informés.

– Aucun.

– Vous êtes sûr?

– Certain. (Sheppard arbora un sourire torve.) Personne ici n'osera se manifester. Ah! Pour une bagarre au club, je ne dis pas. Mais sinon, tout ce qu'ils veulent, c'est finir leur contrat annuel et rentrer chez eux. Ce sont des moutons. Le seul problème, c'est ce marshal. C'est un malade mental. Mais dès que le bruit courra que vos gars sont des pros, personne ne l'ouvrira. Et j'ai encore quelqu'un qui se charge de répandre la nouvelle. Ne vous en faites pas. C'est un homme mort. Aussi mort que nos petites difficultés ici.

O'Niel serra les dents et pilonna littéralement son mégot dans un cendrier.

– Sheppard, je tiens à vous prévenir honnêtement; d'ailleurs, vous devez vous en douter. Si cette opération échoue, les prochains hommes de main qui débarqueront, ça sera pour vous.

– Pas de problème. (Sheppard ne paraissait pas du tout prendre au sérieux la menace de son correspondant.) Si je n'étais pas certain du succès, je ne vous aurais pas demandé de participer. Dites à vos hommes d'être relax. Je vous rappellerai quand tout sera terminé.

FIN DE LA COMMUNICATION, annonça le monitor d'O'Niel.

Il s'enfonça dans son fauteuil, croisa les bras et regarda pensivement l'écran vacant.

Le temps commença à passer moins lentement le lendemain matin, lorsque les vastes panneaux d'information disséminés à travers la station affichèrent l'arrivée prochaine de la navette. Pour les mineurs au travail, car il y avait plusieurs écrans à l'extérieur, c'était un divertissement agréable et l'annonce de futures réjouissances. En effet, l'arrivée du vaisseau impliquait aussi celle de nouveaux films, de courrier, parfois de paquets de la famille, ainsi que la substitution de nouvelles recrues aux travailleurs sortants, toutes choses fort agréables. Cependant, cette navette-là réservait à certains une surprise moins plaisante.

Dans les docks, on vérifiait déjà le grand créneau d'arrimage et on faisait le vide tout autour. Sur le panneau qui dominait la salle, on lisait : NAVETTE EN TRANSIT STATION ALPHA, ARRIVÉE 70 HEURES 04 MINUTES.

Quel que fût l'endroit où vous vous trouviez, vous n'y échappiez pas, il y avait des écrans partout, devant votre couchette, à la cafétéria, aux vestiaires; certains prétendaient même les voir durant leur sommeil. Et si, par extraordinaire, vous ne les voyiez pas, il y avait toujours quelqu'un pour vous taper dans le dos et vous les montrer d'un air radieux.

O'Niel leva les yeux du monitor avec lequel il avait perdu une heure en paperasserie et vint se planter devant la cloison le séparant du Q.G. Deux vigiles, qui venaient de remplir un rapport de surveillance, contemplaient béatement l'écran mural, lequel annonçait maintenant : ARRIVÉE NAVETTE 69 HEURES 56 MINUTES.

Ils échangèrent un regard, murmurèrent quelque chose

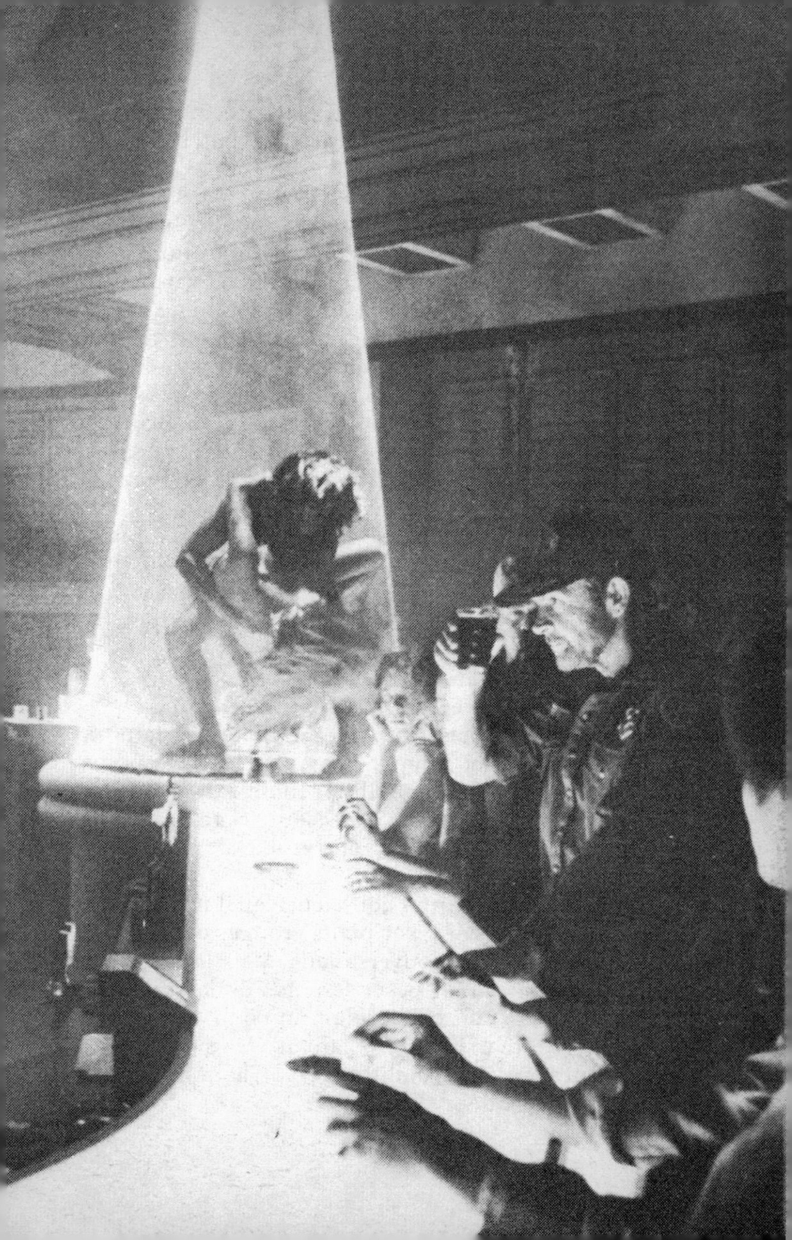

puis se retournèrent vers le bureau. Dès qu'ils virent que le marshal les observait, ils se remirent précipitamment au travail. O'Niel les imita, bien que plus lentement.

Le club était bondé. Une nouvelle taxi-girl et son partenaire se dandinaient au-dessus du public, baignant dans leur habit de lumière multicolore. Autour du bar, la cohue était plus dense et tumultueuse que jamais.

O'Niel poussa la porte et resta quelques minutes sur le seuil à embrasser la foule du regard. A côté de lui, quelques consommateurs l'aperçurent, se mirent à bavarder à voix basse, et bientôt la rumeur de sa présence envahit toute la salle. C'était un pavé dans la mare. Tous les yeux se tournèrent vers lui et le dévisagèrent avec insistance. Une girafe à trois têtes se fût-elle pointée au bar en demandant un gin tonic, que cela n'eût pas fait plus d'effet. O'Niel fit comme si de rien n'était et s'approcha du bar avec désinvolture. La foule se scinda aussitôt devant lui, comme un glaçon sous un fil incandescent.

O'Niel se pencha par-dessus le comptoir et appela le barman.

– Qu'est-ce qu'on vous sert, marshal?

– Une bière, dit-il avec un petit sourire en coin.

Le serveur opina, sortit une canette, l'ouvrit et la posa devant O'Niel. Celui-ci remplit son verre, le leva à ses lèvres puis, soudain, s'immobilisa. Toute la salle avait encore les yeux fixés sur lui. Son sourire s'agrandit. Il piqua du nez dans sa bière et résolut d'ignorer les regards.

Peu à peu, les gens prirent conscience qu'il n'allait rien se passer d'extraordinaire. Par petits groupes de deux ou trois, ils reprirent leurs conversations. Mais le cœur n'y était plus. Chacun sentait peser le poids de la situation. De temps en temps, un client jetait un coup d'œil furtif pour voir si le marshal le regardait. Mais non, son attention était tout entière absorbée par le grand écran qui clignotait sur le mur d'en face.

Plusieurs vigiles travaillaient dur dans le central de sécurité. Ballard, quant à lui, était en train de répartir les postes pour les patrouilles de nuit. Après une heure environ de cette besogne fastidieuse, le nouveau sergent commença à bâiller.

Il releva les yeux vers le bureau d'O'Niel et s'aperçut que celui-ci était debout, juste derrière la cloison, et le regardait fixement. O'Niel lui fit signe d'entrer. Ballard hocha la tête, rangea consciencieusement ses papiers et vint se présenter devant O'Niel.

– Vous m'avez appelé, marshal?

– Oui. Asseyez-vous, sergent.

O'Niel tirait négligemment sur une cigarette en lui désignant une chaise. Ballard s'assit. Le marshal mit les pieds sur son bureau et resta ainsi, la tête en l'air, jusqu'à ce qu'il eût fini son mégot. Ballard se doutait de ce qui venait. O'Niel prenait seulement son temps pour poser la question inévitable.

– Combien y en a-t-il, parmi vous, sur qui je puisse compter?

Ballard se tortilla sur sa chaise. Il aurait fait n'importe quoi pour être ailleurs.

– Je... Je ne sais pas, marshal. C'est une situation difficile.

O'Niel croisa les jambes et continua à scruter le plafond. Au bout d'un moment, il reprit la parole :

– Et vous?

Ballard ne répondit pas. Finalement, O'Niel daigna lui accorder un regard surpris.

– Vous savez, expliqua le sergent, nous sommes nombreux ici, à... Enfin, nous sommes jeunes, en majorité... Nous avons nos familles.

– J'en ai une également, rappela calmement O'Niel.

– Oui, je sais, marshal, sauf que votre famille est... (Il s'interrompit en voyant la mine contrariée du marshal.) Excusez-moi.

– Il n'y a pas de mal.

A nouveau, son regard se perdit ailleurs et il s'absorba dans ses pensées. Ballard était le meilleur du lot, le plus énergique et peut-être le plus courageux. C'était pour ça qu'il l'avait désigné pour remplacer Montone. De tous les agents de sécurité, il était le seul à ne pas se mettre à trembler chaque fois qu'on prononçait le nom de Sheppard. Mais s'il ne réagissait pas maintenant, alors, tout le reste ne servirait à rien.

– Dites-moi, réfléchissez une minute. Est-ce que ça vous importe, vous et vos gars, si ce sont les truands qui ont le dernier mot ?

Quelle que fût la pensée du sergent, il se montra incapable de l'exprimer. Il détourna les yeux et resta muet. O'Niel secoua tristement la tête.

– Bon... Enfin, au moins comme ça nous savons tous la place qui nous revient. Merci, sergent. Ça sera tout. Vous pouvez reprendre vos activités. Vous avez l'équipe du soir à préparer.

Ballard se leva, bredouilla quelque chose d'incohérent et sortit sans croiser le regard d'O'Niel et en oubliant de saluer.

De retour dans le Q.G., il regagna en vitesse son bureau et se replongea dans sa paperasse.

10

Vint le matin et, avec lui, une lumière faible mais réconfortante, soulignant la crête des collines et des volcans d'une frange argentée. Les photons commencèrent à tomber sur les capteurs solaires, les générateurs se mirent à bourdonner, les brigades de mineurs diurnes prirent la relève.

Le grand écran du débarcadère annonçait silencieusement : ARRIVEE NAVETTE 40 HEURES 18 MINUTES.

O'Niel, seul sur le cours de tennis anti-G, fit rebondir sa balle par terre et la renvoya contre le mur. Elle lui revint d'un trait, O'Niel leva sa raquette... et la manqua.

– Inouï! s'écria soudainement une voix féminine. Jouer et perdre contre soi-même, il faut le faire. Cela demande une certaine concentration. (Lazarus ferma derrière elle la grille d'entrée du court et s'avança à petits pas vers le marshal. Celui-ci fit comme si elle n'était pas là, ne se retourna même pas. Elle s'arrêta alors et le regarda, le front plissé.) On dirait qu'il vous manque une partenaire, fit-elle en montrant la balle au fond du court. Je me serais bien jointe à vous dans ce jeu inepte, si je pouvais jouer assise.

Sur quoi, elle choisit un coin de plancher relativement propre et s'y assit en tailleur.

O'Niel passa devant elle pour aller rechercher sa balle. Lazarus l'observa, tandis qu'il se mettait en position sur la ligne de service.

– Je vais bien, merci. Sauf qu'il y a une espèce de grippe contagieuse dans l'air, ce qui est plutôt rare dans cette atmosphère confinée. D'habitude, toutes les impuretés et les germes sont détectés et éliminés par les ordinateurs mais, apparemment, il y a un microbe coriace qui a réussi à s'infiltrer. (O'Niel ne répondit pas, ne servit pas non plus.) Vous n'avez pas idée du nombre d'ouvriers qui vont tomber malades d'ici dimanche, poursuivit-elle d'un ton moqueur. Des symptômes extraordinaires et qu'aucun de mes livres ne mentionne. Pas de fièvre, pas de nez qui coule, pas de mal de tête. Beaucoup de troubles visuels, en revanche. Leurs yeux fouinent partout, mais ils n'arrivent pas à vous regarder en face. Il y a aussi des fuites d'huile... de coude. (Elle se gratta la tête et fit une grimace peu enjouée.) Ouais, c'est bel et bien une épidémie. La première que j'aie jamais vue sur Io, et ça se répand comme une traînée de poudre.

Du bout de sa chaussure, O'Niel se mit à gratter une saleté sur le sol poli du court. La petite tache demeura, mais il s'obstina, tout en demandant :

– Et vous? Est-ce que vous allez être malade, dimanche?

Lazarus prit une grande inspiration et souffla comme un phoque. Lorsqu'elle reprit la parole, ce fut sans retenue, débitant son discours d'une seule traite. On eût dit qu'O'Niel avait déclenché un mécanisme secret en elle.

– Vous savez, autrefois, j'ai été mariée. C'est peut-être difficile à croire, pourtant c'est vrai. Un type merveilleux. Une perle. Elégant, spirituel, un goût parfait. Ça a duré huit ans. Nous avons été vraiment heureux pendant quatre ans, à peu près indifférents l'un à l'autre les deux années suivantes et franchement malheureux les deux dernières. Je me souviens du jour où nous avons décidé de divorcer. C'était un samedi; il faisait un temps magnifique. Nous étions allés à une soirée. Il y avait là, chose exceptionnelle, des gens réellement intéressants. D'habitude, je haïssais, et je hais toujours les parties, mais celle-ci était formidable. Il y avait des boissons exquises, un dîner princier. Même le dessert était bon. A un moment, il m'a regardée, je l'ai regardé et, d'un seul coup, nous avons compris que c'était fini. C'était après les digestifs. Notre mariage était définitivement rompu. Alors, il m'a dit : « Tu sais que je t'aimerai toujours. Je veux que tu sois heureuse. Je souhaite que tu trouves quelqu'un d'autre. » La classe, quoi. Ce type-là, je peux vous dire qu'il avait de la noblesse dans l'âme. Lorsque vous tenez véritablement à un être, vous voulez qu'il soit heureux. Je l'ai regardé droit dans les yeux, j'ai souri, et j'ai dit : « Et moi, je souhaite que tu crèves la gueule ouverte. Et puis je me suis saoulée à mort. »

– Pardonnez-moi, mais où voulez-vous en venir, exactement? demanda gentiment O'Niel.

– A ce que vous sachiez qui je suis, qui je ne suis pas, plutôt. Vous croyez que je parle à tort et à travers? Eh bien, non. Voyez-vous, si j'avais vraiment été à la hauteur auprès de mon mari, j'aurais su trouver la bonne réponse. Et finalement, je n'aurais pas échoué dans ce trou puant.

Aujourd'hui, je travaillerais sur la Lune, loin de la Terre, d'accord, mais dans le luxe. Ce que j'essaye de vous dire, c'est que si vous cherchez en moi un caractère exceptionnel, vous vous trompez. Je ne suis pas différente des autres gens qui sont ici.

O'Niel ne trouva rien à redire à ce surprenant examen de conscience.

Lazarus se pencha en avant et reprit, ardemment :

– Ecoutez, c'est pareil pour vous. Si vous étiez aussi pur que vous semblez l'être, vous ne moisiriez pas non plus ici. Ou alors, pourquoi vous a-t-on nommé à ce poste ?

– Ils ont commis une erreur, murmura O'Niel.

Lazarus secoua la tête et, d'un ton plein de reproche :

– J'avais peur que vous me répondiez ça. (Elle essaya de percer le masque impassible du marshal, de lire la vérité dans ses yeux; en vain.) Vous croyez que vous vous singularisez en faisant ce que vous faites ? (Il haussa les épaules, tripota sa balle et tourna un regard nostalgique vers le mur.) Mais alors, pourquoi, bon sang de bonsoir ?! s'exclama-t-elle.

– Parce que, en fin de compte, ils ont probablement raison, dit-il solennellement. Ils m'ont fait venir dans ce trou pourri parce qu'ils estiment que c'est la place qui me revient. Et mon problème actuel, c'est trouver s'ils ont effectivement tort ou raison. (Il s'interrompit, baissa les yeux et poursuivit, d'une voix émue :) Lazarus, il y a ici une machine, une machine entièrement sabotée, qui ne fonctionne que grâce à l'inertie générale. Je me suis aperçu que j'étais censé faire partie de ce mécanisme. Je suis censé faire quelque chose qui me déplaît. C'est ce qui figure au programme. C'est ma contribution au sabotage général.

» Eh bien, je n'aime pas ça. Ni la machine ni le rôle qu'on me fait tenir. Alors, mon seul but, maintenant, est de savoir si mes supérieurs ont eu raison de me confier cette mission. (Il releva fièrement la tête.) Qu'en pensez-vous ?

Elle le considéra avec une mine apitoyée.

– Je pense que votre femme est stupide.

O'Niel esquissa un sourire. C'était une sorte de triomphe.

– Vous avez envie de vous saouler à mort? demanda-t-elle. (Puis, désignant du doigt la raquette :) Ou alors, préférez-vous continuer indéfiniment à taper sur une pauvre balle en caoutchouc?

Alors, sans hésitation, O'Niel envoya promener sa balle et sa raquette.

Lazarus se redressa poussivement et le suivit vers la sortie. Une curieuse et inexplicable sensation de bien-être s'était emparée d'elle.

– Allez... Il vous reste au moins un peu de bon sens.

– C'est un avis de professionnel, docteur?

– Vous plaisantez? En tant que médecin, j'estime que vous êtes fou comme un lièvre. Quant à mon appréciation personnelle, je vous laisse en juger.

– Eh bien, moi, je pencherais plutôt pour le lièvre.

A la mine, l'ambiance était plutôt morose. Les blagues des ouvriers avaient nettement besoin d'un souffle nouveau.

De temps à autre, un rigolo hasardait une remarque sur la cause de la tension générale et, au lieu d'éclats de rire, il récoltait des regards hargneux. Alors, il se remettait honteusement au travail.

Il n'y avait pas que les mineurs. Tout le monde, dans la station, était sur les nerfs, de l'administration aux cuisines. L'atmosphère était chargée d'électricité, et qui ne provenait pas d'une fuite des accumulateurs. Lorsque le marshal entrait dans une zone quelconque, le malaise était porté à son comble.

A l'horizon, loin vers l'ouest, un énorme volcan entra brusquement en activité, projetant un épais nuage bleuté dans le ciel noir. Il y eut une accalmie momentanée dans la tension psychologique à l'occasion de cet événement inattendu. Les sismologues s'assurèrent que l'activité tectonique n'était que locale et ne présentait pas de danger pour la mine et ses occupants. Les mineurs cessèrent toute activité pour assister à la lointaine et silencieuse éruption. Quoique d'une violence spectaculaire, celle-ci ne dura que quelques heures. Après quoi, l'instabilité souterraine de l'astéroïde se déplaça de quelques centaines de kilomètres plus au sud, et tout rentra dans l'ordre. Ils ne se montrèrent pas particulièrement soulagés par cette rémission. C'était encore pire de rester dehors à contempler les soubresauts internes de Io que de peiner au labeur. Le travail vous occupait l'esprit et éloignait les menaces d'introspection. Pour les quelques jours à venir, surtout, il eût mieux valu s'abstenir de réfléchir.

C'est ce qu'essayait de faire O'Niel. Mais aucun incident ne venait rompre la routine, rien ne put soustraire de ses pensées l'inexorable compte à rebours. Au contraire, il y avait encore moins de troubles que d'habitude. Moins de saouleries et pratiquement pas de bagarres. Pour Dieu sait quelles raisons, une conspiration, une sorte de trêve unanime régnait parmi tous les travailleurs. Aussi, O'Niel se surprit-il plus d'une fois à regarder le grand écran par la porte de son bureau.

ARRIVEE NAVETTE 22 HEURES 15 MINUTES... 20 HEURES 02 MINUTES... 19 HEURES 37 MINUTES.

Alors, il se promettait de ne plus recommencer et se replongeait frénétiquement dans ses dossiers. Il lui restait certainement des plaintes à enregistrer, sans compter les éternels rapports de patrouilles. Tout cela faisait passer un peu le temps, mais pas assez. En désespoir de cause, il se mit à fouiller dans les archives. Ensuite, il consacra une après-midi à contrôler toutes les caméras de surveillance de la station. Puis il éplucha une pile de dossiers, dans l'espoir de trouver des gens ayant des accointances avec Sheppard. Mais, quoi qu'il inventât pour s'abstraire dans le travail, il y avait toujours un moment où il relevait involontairement les yeux vers les écrans muraux.

Une nouvelle équipe de nuit venait de rentrer du cratère et les vigiles se pressaient dans le Q.G. de sécurité.

Affalé derrière son bureau, O'Niel boulottait un sandwich commencé quelques heures plus tôt. Le pain avait une consistance à la fois flasque et sablonneuse. Il se frotta les yeux et regarda l'écran de son monitor sur lequel figurait une colonne de noms parfaitement dénués de sens. C'étaient les membres du personnel de la station Alpha, la dernière escale de la navette. Dans cette liste, il y avait le nom d'un assassin, peut-être plus. Le marshal ne comptait pas vraiment dessus pour le renseigner. Un tueur professionnel se devait d'avoir une couverture professionnelle. Mais c'était quand même une chose à faire. Bientôt les noms se fondirent en un brouillard indistinct. Il était temps de prendre un peu de repos, que son esprit le veuille ou pas. Son organisme insistait.

La première chose qu'il vit en allumant la lumière de son appartement, ce fut le tableau horaire : ARRIVEE NAVETTE 9 HEURES 37 MINUTES. Dieu qu'il était fourbu... Et ce silence...

Soudain, contre toute attente, l'ordinateur émit le bip-bip annonciateur d'une communication et une lampe rouge se mit à clignoter au-dessus de la console. Il en resta paralysé quelques instants. C'était un appel sur sa ligne personnelle et non en provenance du central. O'Niel se précipita et enfonça les touches appropriées. L'écran s'éclaira et indiqua, en grosses lettres : O'NIEL W.T TELECOMMUNICATION STATION ALPHA TRANSMISSION EN TEMPS REEL. Il contempla les caractères d'un air ahuri, comme s'ils allaient lui sauter dessus pour le mordre au nez. Puis il s'assit et tapa son code personnel, suivi du sempiternel O'NIEL W.T. PROCEED. Des lignes sinusoïdales brouillèrent l'écran quelques secondes, puis O'Niel se trouva face au visage souriant de Carol.

– Salut, toi!

Désemparé, O'Niel ne put répondre tout de suite et resta un long moment à savourer cette vision miraculeuse. Le visage de sa femme était moins hagard que le jour où elle lui avait laissé son message d'adieu. Il s'obligea à ne pas repenser à ce mauvais souvenir et, surmontant son trouble, répondit avec un sourire embarrassé :

– Salut, toi aussi.

Du coup, Carol ne sut plus quoi dire non plus.

– Ça y est, je recommence, murmura-t-elle. J'ai eu tout le temps nécessaire pour me préparer, et voilà, je suis là à te regarder, complètement tarte, comme d'habitude.

– Comment va Paulie?

– Il va bien. Je lui ai promis qu'il pourrait te parler. Il est dans la pièce à côté. Probablement en train de détruire le mobilier. Et toi, comment vas-tu?

– Ça va, dit-il, mentant sans vergogne.

– Bon. Alors, oui... heu... Paulie et moi avons nos places pour rentrer à la maison. (O'Niel approuva d'un petit hochement de tête. Sous prétexte de régler le volume du récepteur, elle détourna les yeux, puis reprit :) Tu sais, heu... les réservations, je les ai prises pour nous trois, je pensais que tu serais d'accord.

– C'est gentil à toi, mais...

– S'il te plaît.

Il l'interrompit, d'un brusque geste de la main.

– Je ne peux pas. J'aimerais bien, tu sais.

– Mais qu'y a-t-il de si important?

Bon, voilà qu'elle retournait à nouveau le couteau dans la plaie. Et inutile de se relancer encore dans des explications. Ça ne faisait qu'empirer les choses. Mais en même temps, il se désespérait de ne pouvoir lui expliquer sa situation, le sens de cette terrible attente. Elle l'aimait trop pour supporter un tel choc. De sorte qu'il fit juste un geste d'impuissance devant l'objectif et dit :

– Je suis trop fatigué pour remettre ça, Carol. Je ne peux pas partir, un point c'est tout.

– Non, ce n'est pas tout. Moi ça ne me suffit pas. Qu'est-ce qui se passe? Et pour qui te prends-tu? Tu crois qu'à toi seul, tu arrives à rendre l'espace plus agréable? Est-ce que tu te figures que ton sale boulot mérite que tu sacrifies ta famille? (O'Niel essaya de formuler une réponse; sans succès.) Tu es un fieffé salaud, voilà!

– Oui, admit-il.

Il y eut encore un temps mort et elle dut alors percevoir quelque chose sur son visage, car son expression changea du tout au tout.

– Il y a des problèmes, tu es en danger, tu me caches quelque chose ?

– Non.

– Si, je le sens. Chaque fois que tu te mets à parler avec des phrases de moins de deux mots, c'est que tu as des soucis.

O'Niel essaya de montrer un regard franc et de prendre une intonation rassurante.

– Tout va bien.

Carol le maudit en serrant les dents puis, tournant la tête :

– Paulie, tu peux venir. (Et avant de lui céder la place, elle ajouta, à la hâte :) Je t'aime.

Le visage de Paul apparut, rayonnant de bonheur et d'innocence, deux choses qui faisaient cruellement défaut, ces derniers temps, dans l'entourage d'O'Niel.

– Salut, Paul, content de te voir. Comment vas-tu ?

– Très bien. Maman m'a permis de me coucher tard, parce que c'est le seul moment où l'on puisse t'appeler. On nous a dit que les lignes interspatiales étaient toujours occupées. Tu sais, tu me manques.

– Toi aussi.

– Maman dit que tu vas venir nous rejoindre dès que tu auras fini tes affaires. C'est vrai ?

– Oui. promis.

– C'est comment, la Terre ?

– Formidable. Tu vas voir plein de choses magnifiques et tu auras beaucoup d'amis. Ce sera merveilleux.

– Maman m'a dit qu'on nous faisait dormir pendant tout le trajet.

– Oui, presque tout le temps, c'est vrai. Ça ne te paraîtra pas très long.

– Est-ce que ça fait mal ?

– Non, absolument pas. Tu dormiras comme dans

ton lit. Et quand tu te réveilleras, tu seras sur Terre.

Paulie eut l'air sceptique.

– Il paraît que je dormirai pendant mon anniversaire. Comment est-ce que je pourrai avoir ma fête, alors?

O'Niel ne put réprimer un sourire.

– Eh bien, à ton prochain anniversaire, tu auras une double fête et deux fois plus de cadeaux.

– Est-ce que tu peux venir avec nous?

– Pas tout de suite.

– Bientôt?

– Oui... bientôt.

– Je t'aime, papa.

Cela acheva O'Niel. Toute fermeté disparut en lui et il bredouilla, luttant pour contenir son émotion :

– Je... Moi... Moi aussi, Paul. Prends bien soin de maman jusqu'à ce que je puisse vous retrouver.

– D'accord. Allez, à bientôt, papa.

Et l'image se résorba en un minuscule point lumineux. O'Niel ne fut pas surpris de ne pas revoir Carol. C'était sans doute plus qu'elle n'en pouvait supporter.

FIN DE COMMUNICATION, afficha froidement le monitor.

O'Niel attendit longtemps avant de l'éteindre.

Depuis quelques heures, le niveau d'activité s'était encore accru dans les docks. Les techniciens commençaient à répéter les manœuvres de téléguidage et d'arrimage et les manutentionnaires achevaient d'aligner les containers de minerai devant leur batterie de chariots-élévateurs. Le panneau horaire indiquait maintenant : ARRIVEE NAVETTE 1 HEURE 55 MINUTES.

Tout le monde s'affairait autour des rampes de débarquement, on vérifiait une dernière fois le bon fonctionnement des sas de décompression. L'arrivée de la navette était un événement somme toute banal, mais qui se traduisait toujours par un extraordinaire déploiement de précautions.

La cafétéria de l'administration était pleine à craquer.

On servait encore le petit déjeuner. Le comptoir et les tables étaient couverts d'assiettes d'œufs au bacon, de biscuits, de céréales et de tartines. Il y avait des carafes de jus de fruit variés, des pots de lait et de grands pichets de café et de thé dont les clients se servaient eux-mêmes. Un murmure diffus emplissait la salle, tout le monde parlait à voix basse en faisant semblant d'ignorer le seul et unique problème occupant les esprits.

Sur le mur du fond, l'écran annonçait : ARRIVEE NAVETTE O HEURE 43 MINUTES. Personne n'y faisait attention.

O'Niel entra discrètement par une porte de service et parcourut l'assemblée du regard. Pas de Sheppard. Ce matin-là, comme de coutume, le manager avait préféré manger dans l'intimité de son bureau privé.

Quelques secondes s'écoulèrent avant que la présence du marshal soit remarquée. Aussitôt, toutes les têtes se tournèrent vers lui et les conversations cessèrent à la vitesse d'un litre d'oxygène se volatilisant à la surface de Io. Il resta sur place et leur adressa un large sourire.

Au même moment, dans le débarcadère, une sirène intermittente se fit entendre. Des balises s'allumèrent et les opérateurs, abandonnant à regret leur tasse de café, se précipitèrent à leur poste en jurant. Simultanément, l'écran horaire se mit à clignoter deux fois plus vite et annonça : ARRIVEE NAVETTE AVANCE PREVUE : 32 MINUTES.

O'Niel considérait toujours le groupe de consommateurs attablés.

– Bonjour, leur dit-il aimablement.

Quelques saluts laconiques lui furent retournés, sans conviction.

O'Niel s'avança vers la table la plus proche. Soudain, il reconnut un visage et bifurqua pour s'en approcher.

– Comment allez-vous, madame Steiner?

La femme qui lui avait si gentiment souhaité la bienvenue à son arrivée parut décontenancée.

– Heu... Je... Ça va, merci, marshal.

Elle faillit lui retourner la question, mais se rattrapa à temps. O'Niel s'installa à une table et reporta son attention sur son voisin.

– Monsieur Rudolph? Alors, tout va bien, ce matin?

– Bonjour, marshal. Oui, oui, on fait aller.

Puis l'homme se repencha nerveusement sur son assiette.

O'Niel se releva pour aller se servir du café et adressa quelques civilités à la ronde.

– Mmm, ça à l'air fameux, dit-il en se choisissant une pomme sur une desserte.

Et il croqua dedans à belles dents. Le bruit s'entendit à travers toute la pièce.

A l'extrémité des docks, tous les sas se refermèrent automatiquement d'un seul coup dans un grand sifflement d'air comprimé.

Dehors, au-dessus des boyaux de plexiglas qui relaient le cratère à la station, la tour de contrôle commença à s'animer de l'intérieur. Les radars grésillèrent et, devant leurs ordinateurs, les contrôleurs spatiaux se mirent à suivre les fluctuations de la ceinture de radiation et du champ magnétique de Jupiter.

Peu après apparurent dans le ciel deux points lumineux d'une forte intensité. Grossissant à vue d'œil à mesure que le vaisseau approchait, ils ne tardèrent pas à projeter une nappe de lumière aveuglante sur les abords de la mine. Bientôt, on put lire les chiffres d'identification sur les flancs de la navette et distinguer les détails de la coque. Celle-ci n'était pas conçue pour pénétrer dans une atmosphère plus dense que celle de Io et n'avait pas une ligne très aérodynamique.

De part et d'autre du créneau d'arrimage, d'immenses pylônes montés sur rails et munis de grappins se rejoignirent lentement.

Entièrement gouverné aux instruments depuis la tour de contrôle, le vaisseau pivota légèrement et l'on vit ses tuyères cracher le feu, descendre silencieusement vers leur cible. Enfin, la trappe du créneau s'ouvrit et un tourbillon de fumée obscurcit tout le site de débarquement.

O'Niel finit sa pomme, hésita à prendre un rouleau au chocolat puis y renonça. Il revint parmi les tables et, s'adressant à l'ensemble de la salle, déclara :

– Je ne veux surtout pas vous perturber ni inquiéter quiconque, mais un peu de soutien ne serait pas de refus.

Personne n'osa lever le petit doigt. Le personnel de l'administration, l'aristocratie de Io, était très poli. Ils restaient là, dans l'expectative, à le dévisager en silence, sans trop savoir ce que le marshal attendait d'eux. O'Niel, impassible, se racla la gorge et reprit :

– Mmm, c'est bien ce qu'il me semblait. Toujours aucun commentaire.

Finalement, dans le fond de la salle, un gros gaillard chauve nommé Rudd, un spécialiste en informatique, eut le courage de se lever et de dire ce que tout le monde pensait.

– Vous êtes censé nous protéger, marshal. Et non l'inverse. C'est votre boulot, pas le nôtre. (Un murmure d'approbation parcourut la salle, l'encourageant à poursuivre.) C'est vous qui êtes la police ici, je ne vous demande pas de faire mon travail. Alors, pourquoi faudrait-il que je vous aide ? J'ai mes propres collaborateurs. Où sont vos hommes ?

– Mes hommes, répliqua O'Niel avec une moue de dédain. Mes hommes sont plus que foireux, ils sont inexistants. Mais vous, braves gens ?

Personne ne broncha. O'Niel hocha la tête.

– Bon appétit, dit-il.

Puis il se retourna et sortit.

11

Les rétrofusées s'allumèrent et le vaisseau ralentit encore sa vitesse d'approche. Les équipes qui attendaient près des sas de débarquement sentaient croître les vibrations des puissants moteurs à travers toutes les installations du débarcadère. Dans la tour de contrôle, les ordres pleuvaient, débités par les techniciens d'un ton monocorde. Les derniers portiques d'accès se mirent en place et, sous le ventre de la navette, des crochets d'abordage se déployèrent, comme les pattes d'un scarabée monstrueux. Le personnel des docks aperçut bientôt l'équipage du vaisseau à travers les hublots de la cabine de pilotage.

Enfin, les amortisseurs hydrauliques touchèrent la plate-forme balisée du créneau et s'écrasèrent sous le poids considérable du vaisseau. Les contrôleurs de la tour annoncèrent la fin des manœuvres d'accostage et, à l'intérieur du cockpit, les pilotes coupèrent les moteurs. Aussitôt, quatre passerelles vinrent s'accoler aux flancs de la navette. Les opérations de débarquement commencèrent sans tarder et les premiers chariots-élévateurs se mirent en file devant les soutes, tandis que les projecteurs étaient braqués sur les rampes d'évacuation. Les trépidations décrurent progressivement, remplacées par le fracas des grues et des treuils. Le grand écran avait cessé de clignoter. OPERATIONS DE DECHARGEMENT EN COURS, y lisait-on maintenant.

O'Niel arriva en courant au Q.G. de sécurité et le panneau mural lui confirma ce qu'il venait d'apprendre. Pourquoi diable cette maudite navette était-elle arrivée avec une demi-heure d'avance? Mystère. De toute façon, il n'était plus temps de s'en préoccuper. Sans doute, les pilotes du vaisseau ne le savaient-ils pas eux-mêmes. Il fixa son revolver à sa ceinture et fourra quelques balles supplémentaires dans sa poche. Puis il s'assit devant son monitor et, avant toute chose, enclencha la procédure d'urgence. O'NIEL W.T. RECHERCHE IDENTITE, CLICHES ANTHROPOMETRIQUES ET CASIER JUDICIAIRE PASSAGERS DERNIERE NAVETTE AYANT RESERVE TROIS JOURS AU MOINS AVANT LE DEPART. La machine émit un son vibré et enregistra la question à sa vitesse habituelle. La réponse, cependant, fut décevante. NEGATIF. RENSEIGNEMENTS NON DISPONIBLES.

Au cours des jours précédents, O'Niel avait eu pleinement le temps de réfléchir. Il avait imaginé tous les scénarios possibles faisant suite à l'arrivée de la navette, des plus simples aux plus incongrus.

Mais, pour la première fois, il se trouvait pris au dépourvu. Les ordinateurs avaient pour mission de tout élucider, ils étaient infaillibles et incorruptibles par nature, contrairement aux agents de sécurité qui étaient censés le seconder. O'Niel avait prévu n'importe quelle défaillance, sauf celle-ci. A croire que le monitor le provoquait délibérément. Pendant plusieurs minutes, il resta médusé devant l'écran, incapable de réagir. Allez, essaye encore, se dit-il. Il n'y a rien à perdre, sinon un peu de temps. Ses doigts s'enfoncèrent avec minutie sur les touches du clavier. O'NIEL W.T. SECUR. PRIOR. REPONSE A QUESTION PRECEDENTE. RENSEIGNEMENTS NON DISPONIBLES, répéta la machine. Du calme, pensa-t-il. L'ordinateur ne pouvait mentir et, par conséquent, sa réponse démoralisante devait se traduire par des faits. Il suffisait de questionner la question à la place de la réponse. O'NIEL. W.T. URGENT. MOTIF REPONSE NEGATIVE? Les caractères se formèrent promptement sur l'écran : LISTE PASSAGERS NON TRANSMISE PAR STATION DE DEPART. Ah! voilà qui expliquait tout. O'NIEL W.T. ORDRE Q.G. SECUR. IO A STATION ALPHA TRANSMETTRE RENSEIGNEMENTS DEMANDES IMMEDIATEMENT. NEGATIF, répondit le monitor avec obstination. TRANSMISSION AUDIO/VIDEO DEPUIS STATION ALPHA PROVISOIREMENT INTERROMPUE. MOTIF INTERRUPTION? demanda-t-il. NEGATIF. RENSEIGNEMENTS NON COMMUNIQUES.

O'Niel s'effondra dans son fauteuil et contempla avec ahurissement la console. Sans réponse à ses questions, sans l'assistance de l'ordinateur, il perdait d'un seul coup le bénéfice de deux cents ans de progrès juridique et technologique et se trouvait réduit à employer des méthodes primitives. Quoique non, pas tout à fait. Il n'était pas encore vaincu. Délaissant le monitor interspatial, il s'intéressa aux écrans de surveillance.

Sur l'un d'eux apparaissait le site de débarquement de la navette. Il fit quelques réglages et alluma un autre écran qui lui montra le principal couloir de sortie du débarcadère. Les ascenseurs étaient déjà en mouvement et commençaient à évacuer les nouveaux arrivants. Le monitor retransmit un sifflement strident et le marshal dirigea sa caméra en gros plan vers les voyants lumineux des ascenseurs. ATMOSPHERE ZERO, quelques secondes d'attente, puis PRESSURISATION, nouveau temps mort, et enfin NIVEAU HABITATION ATMOSPHERE, GRAVITE. Le sifflement s'arrêta et O'Niel attendit patiemment de voir émerger les passagers.

Bientôt apparurent les premières silhouettes. Il y avait à peu près autant d'hommes que de femmes. Plusieurs discutaient entre eux; des solitaires, au contraire, avançaient silencieusement, quelques-uns jetaient alentour des regards étonnés. Certains devaient avoir le sentiment de débarquer en enfer, alors que d'autres retrouvaient simplement un lieu familier. Tous portaient des sacs en nylon de couleurs variées. La plupart des conversations cessèrent lorsqu'ils arrivèrent au centre de dispatching où convergeaient les rampes d'accès aux six différents secteurs de la station.

O'Niel détaillait chaque passager, espérant deviner le ou les assassins dissimulés parmi eux. Ce n'était guère facile. Comme l'avait indiqué l'homme dont il avait intercepté la communication, il s'agissait de professionnels. Nul doute qu'ils avaient l'art et la manière de se fondre dans la multitude. Il y avait une cinquantaine de passagers en tout. Les formalités de débarquement étaient fort simples. Le voyageur montrait son ticket et le personnel lui indiquait la direction du secteur qu'il devait rejoindre. Il ne risquait pas d'y avoir de passagers clandestins. O'Niel orienta sa caméra vers le carrefour des six rampes d'accès et l'écran lui montra une vue d'ensemble des passagers avant que ceux-ci ne se dispersent.

Enfin, les deux derniers hommes arrivèrent dans le champ de la caméra. Ils bavardaient tranquillement et, en apparence, rien ne les différenciait de leurs compagnons. Ils étaient, pour tout dire, extrêmement ordinaires. Au bout d'une ou deux minutes, ils se turent et jetèrent un regard circonspect à l'entrée de chaque couloir. Visiblement satisfaits, ils déposèrent alors leurs sacs et commencèrent à les ouvrir. Fouillant parmi leurs effets personnels, ils sortirent une à une plusieurs pièces métalliques et se mirent à les réunir bout à bout. Pendant que l'un vissait le canon de ce qui apparaissait maintenant comme un revolver de gros calibre, l'autre faisait le guet. Puis ils intervertissaient les rôles, travaillant calmement et dans le plus grand silence. Leurs armes une fois assemblées, ils reprirent leurs sacs et s'éloignèrent en empruntant chacun un corridor différent et sans s'adresser le moindre salut.

O'Niel les observait attentivement et, dès qu'ils se furent séparés, il répartit sa surveillance sur deux écrans afin de ne pas les perdre de vue. Le premier homme semblait maintenant suivre l'itinéraire conduisant directement aux bâtiments de l'administration.

L'autre était parti dans la direction opposée. Il paraissait dangereux d'attendre qu'ils se fussent rejoints pour les affronter. Le marshal prit rapidement sa décision. Il saisit son revolver et sortit précipitamment de son bureau.

Le premier tueur à gages atteignit le vestiaire des hommes. Il n'avait pas besoin de plan pour s'orienter, ayant entièrement mémorisé la configuration de la station avant de partir. Il jeta un œil à sa montre. Comme prévu, l'endroit était désert. Pistolet au poing, il commença à remonter lentement une des allées.

Pendant ce temps, son associé montait une échelle conduisant à un étroit couloir. Il s'arrêta quelques instants en haut des échelons pour se remémorer la disposition des lieux, puis tourna sur sa droite et s'engagea dans le corridor. A un moment, il se trouva face à deux ouvriers qui avançaient à sa rencontre. D'un geste prompt, il fourra son arme dans son sac et croisa les deux hommes qui lui sourirent. Il ressortit son revolver aussitôt après, poursuivit son chemin et arriva ainsi dans la zone d'habitation de l'administration sans avoir fait d'autre rencontre.

Il se mit alors à marcher avec plus de précautions et se retourna plusieurs fois. Enfin, il s'arrêta devant une porte et, s'accroupissant, examina le système de fermeture. Les verrous intérieurs étaient tirés. Plongeant la main dans la poche de sa veste, il en sortit un petit disque de la grosseur d'un ongle et l'appliqua contre la serrure. L'homme prit alors un peu de recul et assena un violent coup de pied dans la porte. Celle-ci s'ouvrit en grand et le tueur bondit à l'intérieur en brandissant son arme. Personne en vue. Le doigt sur la détente, il commença à fouiller l'appartement de fond en comble, regarda sous le lit, derrière les meubles et scruta même les coins du plafond pour voir s'il n'y avait pas de piège ou de caméra. Ensuite, il s'approcha prudemment de la porte de la chambre d'O'Niel et l'ouvrit à nouveau d'un coup de pied. Personne. Il revint sur ses pas, explora minutieusement la salle de bains, puis encore le séjour et, finalement, les toilettes. Le tueur poussa alors un soupir de déception, haussa les épaules et quitta l'appartement pour gagner son prochain objectif.

O'Niel entra dans la cafétéria des mineurs. Ceux-ci se trouvant au travail, la salle était vide, le comptoir impeccablement nettoyé, les chaises retournées sur les tables. Il n'avait encore jamais vu cet endroit entièrement désert.

En un sens, c'était soulageant. Il contourna les tables et traversa lentement le réfectoire, les yeux fixés sur la porte du fond.

Il y eut une détonation fulgurante et un éclair orangé devant lui qui l'aveugla pendant une seconde. Des débris de plastique tombèrent du plafond, des étincelles jaillirent des tables voisines, O'Niel se jeta à terre et, au même moment, deux nouveaux projectiles frôlèrent sa tête avec un sifflement sinistre. Le tueur, qui était tapi entre les canalisations du plafond, fit feu une quatrième fois et O'Niel roula sous une table tout en déchargeant son arme en l'air. L'autre rentra précipitamment dans son trou et le marshal en profita pour foncer au triple galop vers la sortie. Un dernier coup de feu retentit derrière lui. Il l'avait échappé belle.

La serre était un bon endroit pour reprendre son souffle. On y respirait l'air le plus salubre et le plus parfumé de Io. Des rangées d'étagères métalliques supportaient des bacs de légumes en terre. Ailleurs, des céréales germaient sous des rampes fluorescentes. La pièce était voûtée et entièrement vitrée. On devinait au-dessus l'ombre massive de Jupiter. Les rayons de la lointaine étoile appelée Soleil ne parvenaient guère jusque-là et n'intervenaient pas dans le développement des végétaux. Un petit ordinateur surveillait la nutrition des plantes et prodiguait un arrosage quotidien. O'Niel s'immobilisa à l'entrée et, reprenant haleine, s'assura qu'il n'y avait personne. Puis il s'avança à pas lents entre deux rangées d'arbustes et leva des yeux méfiants vers une coursive qui longeait tout un côté de la baie vitrée, à quelques mètres de hauteur. Il réfléchit un moment, se retourna vers un panneau amovible qu'il ouvrit et examina le tableau électrique qui s'offrait à lui. Il trouva facilement le bouton approprié, appuya dessus et la serre se trouva brusquement plongée dans l'obscurité. Après quoi O'Niel commença à gravir l'échelle qui menait à la coursive. Soudain, une nouvelle déflagration lui déchira le tympan et une gerbe d'étincelles jaillit du barreau qu'il s'apprêtait à saisir. L'autre tueur le visait, maintenant. Il n'eut pas le temps de réagir, un deuxième coup de feu retentit et il ressentit une cuisante douleur au bras. O'Niel perdit l'équilibre, son revolver lui échappa des mains et il tomba comme une masse au bas de l'échelle, avec un cri sauvage. En quelques secondes, il fut sur pied et se rua hors de la serre en se tenant le bras.

Derrière lui, dans l'ombre, le meurtrier rechargea son arme en jurant et se promit de tirer avec moins d'impétuosité la prochaine fois. Il descendit silencieusement de la branche de pommier où il s'était embusqué et repartit à la poursuite de son gibier.

O'Niel courait en haletant d'un couloir à l'autre. Il avait momentanément distancé son poursuivant mais ne pourrait plus tenir le coup bien longtemps. Son bras gauche saignait abondamment.

Il trépigna d'angoisse en attendant l'ouverture d'un sas, se retourna, ne vit personne, s'élança dans un nouveau corridor.

Il hésita à une intersection et repartit droit devant lui. En face, à quelques mètres, un autre sas lui barrait le chemin.

La porte s'ébranla. Il y avait quelqu'un derrière, quelqu'un qui le guettait. O'Niel regarda désespérément autour de lui. Il ne pouvait plus ni reculer ni avancer. Sa seule ressource était de s'aplatir contre le mur en espérant que celui qui ouvrirait le sas serait tellement pressé de le poursuivre qu'il se précipiterait droit devant sans le voir. Il n'avait pas grand espoir que ça marche. Ses poursuivants avaient déjà démontré leur habileté.

Le sas s'ouvrit et O'Niel, se préparant à affronter l'inévitable, leva son bras valide afin de sauter à la gorge de l'homme.

La silhouette s'avança, passa la tête, O'Niel bloqua son geste in extremis. C'était Lazarus.

– Bon Dieu, O'Niel, attention!

Il la dévisagea avec stupéfaction.

– Mais qu'est-ce que vous faites là?

– Eh bien, je suis allée dans votre bureau pour voir s'il n'y avait pas un coup de main à donner, et je vous ai vu sur vos propres écrans de surveillance. Vous êtes sorti tellement vite que vous avez oublié de les éteindre. J'ai suivi toute votre cavalcade.

O'Niel se tâta le bras.

– Vous vous fichez de moi?

Elle ne répondit pas et examina rapidement la plaie du marshal.

– Mais vous êtes dans une forme resplendissante, vous, dites. Bon, ce n'est pas beau à voir, mais l'artère n'est pas touchée. Je vais arrêter l'hémorragie.

– Mais comment? Je suis tombé sur l'autre à la cafétéria. S'il travaille en tandem avec celui qui est dans la serre, ils vont nous bloquer le chemin de l'infirmerie.

– Bon sang que vous êtes endoctriné. Vous pensez vraiment que je suis impuissante sans mes machines? Allez, venez par ici.

Elle le conduisit dans le dortoir des hommes. Ils s'assurèrent que les allées étaient désertes puis Lazarus prit une taie d'oreiller sur la première couchette venue, la déchira et commença à lui bander le bras. O'Niel, cependant, ne quittait pas des yeux la porte par laquelle ils étaient entrés.

– Avez-vous vu où ils se dirigeaient? Je me demande s'ils se sont rejoints.

– Je crois qu'ils sont repartis vers l'aile de l'administration, dit-elle tout en s'appliquant à le bander. Ils essayent de vous couper la retraite jusqu'à votre bureau.

– Oui, ce n'est pas bête, ils vont sans doute tenter de m'acculer dans un coin désert, comme tout à l'heure. Ils ont déjà failli m'avoir comme ça. Bon, il faudrait que vous commenciez à fermer tous les sas dans la zone est. Pendant ce temps, je vais tâcher de les prendre à revers, avant qu'ils arrivent à me choper dans un endroit sans témoins.

– Vous croyez réellement que des types comme ça se soucient de témoignages, O'Niel?

– S'ils y étaient contraints, ils me descendraient bien en plein milieu du club mais, à l'occasion, s'ils peuvent le faire incognito, ils n'y manqueront pas. Ces gars-là se flattent de faire du travail propre.

– Comment allez-vous faire pour les contourner? Je les ai observés sur le monitor. Ils vérifient absolument tout, jusqu'aux rainures du plancher.

– En passant par l'extérieur.

Le premier tueur prenait maintenant son temps. Il s'était trop pressé la première fois et ne tenait pas à manquer encore sa cible. Avec un peu de patience, c'était plus difficile, mais moins risqué. De plus, à en juger par les traces de sang qu'il laissait derrière lui, O'Niel ne tarderait pas à se fatiguer.

Lazarus continuait à étancher la blessure. Elle acheva son bandage par un joli nœud. O'Niel regarda le résultat, bougea le bras. Cela faisait toujours mal, mais la douleur était supportable.

– Merci.

Soudain, au bout de l'allée, ils entendirent un bruit de pas qui se rapprochait et se figèrent sur place. Cela pouvait n'être qu'un travailleur en avance, mais c'était peu probable.

O'Niel fit signe à Lazarus de le suivre. Ils avancèrent à pas de loup jusqu'à l'aire de regroupement, où ils attendirent, osant à peine respirer, que le bruit ait diminué.

– Je vais sortir, dit O'Niel à l'oreille de Lazarus. Fermez toutes les portes, comme je vous ai dit, et retournez à l'hôpital; vous allez avoir des clients.

Il se dirigea vers une rangée de scaphandres, suspendus près des pompes à oxygène, et en choisit un, à peu près à sa taille. Lazarus restait à côté à le regarder. Le marshal se retourna vers elle et, haussant le ton :

– Allez, filez, je vous dis!

– Je peux encore vous aider, souffla-t-elle.

– Bon sang, ne discutez pas! répondit O'Niel en enfilant hâtivement la combinaison.

– Mais je peux encore être utile ici, insistait Lazarus.

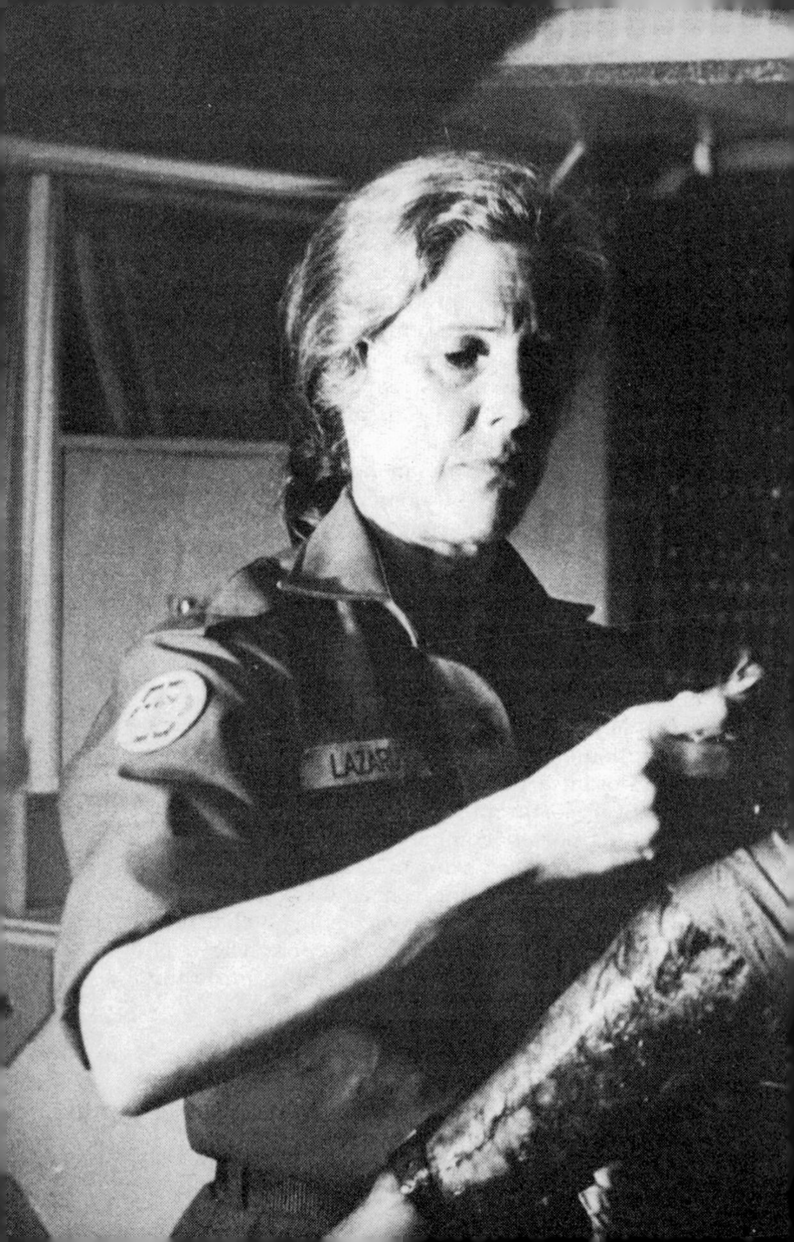

Il s'immobilisa, la regarda un long moment, puis :
– Bon, d'accord. Dans le corridor entre les bâtiments B et C.
Elle enregistra d'un signe de tête.
O'Niel boucla son scaphandre et se dépêcha d'entrer dans l'ascenseur. La cabine commença à s'élever avec un léger bruissement.
Lazarus entendit à nouveau des pas et se recroquevilla dans un coin. Une ombre se profila derrière les casiers.
L'ascenseur ralentit, s'arrêta au niveau 1. O'Niel se plaqua contre la paroi, le cœur battant. La porte glissa de côté. Personne. La voie était libre. Il sortit et avança prudemment. Il avait déjà quitté la zone de gravité artificielle et devait faire attention de ne pas perdre pied. Devant lui, se dressaient les échafaudages de la mine. Le Bâtiment C était sur sa gauche. Il s'en approcha puis, allégé par l'apesanteur, commença à gravir les barreaux qui saillaient de la façade. Du toit où il arriva, il dominait toute la station et voyait les murs du cratère, la tour de contrôle, même les docks. Il se força à ne pas regarder la masse de Jupiter au-dessus de lui et parcourut à quatre pattes toute la longueur du toit. Puis il regarda en bas. Une étroite passerelle reliait les bâtiments C et B, surplombant le couloir vitré où il avait demandé à Lazarus de faire le guet. O'Niel commença à descendre une autre échelle, de l'autre côté du bâtiment.
Dans les vestiaires, le premier tueur remontait maintenant une allée en avançant avec grande précaution. Il passa à côté de Lazarus qui battit en retraite dans les douches, le plus silencieusement possible. Cependant, l'homme avait l'oreille fine. Il entendit un frôlement et s'immobilisa, prêt à tirer.
Lazarus tapa légèrement du pied pour être sûre de se faire entendre puis s'éclipsa par une porte de service qu'elle referma, bruyamment, cette fois. L'homme se précipita dans les douches et ne trouva rien. Alors, se guidant au bruit, il suivit le chemin qu'elle avait emprunté. Lazarus courait vers le couloir que lui avait indi-

STEVENSON

qué le marshal, entraînant le meurtrier dans son sillage.

O'Niel, entre-temps, poursuivait sa progression vers le bâtiment C. Il vacilla au pied de l'échelle, faillit perdre l'équilibre, n'ayant nullement l'habitude de se déplacer dans le vide.

Par bonheur, il n'était pas sujet au vertige. Enfin, il atteignit le début de la passerelle et put s'appuyer à la rambarde de protection pour souffler quelques instants.

12

Lorsque le tueur déboucha dans le couloir, la première chose qu'il vit fut une silhouette qui disparaissait tout au bout.

L'ombre réagit aussitôt à sa présence en se jetant derrière la porte d'un sas. Lazarus referma la porte juste au moment où l'homme faisait feu. Les balles crépitèrent sur la cloison métallique. Le bruit ne parvint pas jusqu'à O'Niel qui rampait au-dessus, mais il vit une langue de feu traverser le couloir et trembla pour Lazarus. Suant et pestant, engoncé dans son scaphandre pressurisé, il se mit à dévisser les boulons qui maintenaient entre elles les deux sections de corridor.

Le tueur avait commencé à s'avancer dans le passage transparent et il paraissait mécontent. La silhouette qui s'était enfuie semblait trop petite pour être celle du marshal, mais elle avait réagi comme un fugitif en le voyant. Cela impliquait une certaine complicité avec l'homme à abattre. Peut-être le marshal l'avait-elle précédée de l'autre côté du sas. Dans ce cas, la poursuite n'allait pas tarder à se conclure. Ce qui le troublait, néanmoins, c'est qu'on lui avait assuré que le marshal n'aurait aucun appui.

Il n'aimait pas les surprises. Non que cela pût changer grand-chose. O'Niel était condamné et ce n'était pas un ou deux amateurs qui pourraient le sauver. Quant aux explications à fournir s'il y avait quelques morts en plus, ce n'était pas de son ressort, mais de celui de ses commanditaires.

Encore deux, murmura nerveusement O'Niel. Il voyait l'ombre du tueur évoluer sous lui.

Lazarus actionna la fermeture étanche de la deuxième porte du sas. Peu après, le meurtrier sentit bouger quelque chose au-dessus de sa tête. Il crut d'abord que c'était la navette, mais son départ ne pouvait avoir lieu si tôt. Impossible qu'ils aient déjà fini le chargement. Puis il pensa que ce pouvait être un ouvrier de l'entretien, en train de travailler à l'extérieur. Et puis non, il n'y avait rien à entretenir dehors. Que pouvait donc faire ce bonhomme là-haut?

Il se retourna, vit que les sas étaient hermétiquement clos à chaque extrémité du couloir et commença à paniquer. Il rechargea précipitamment son arme, leva les yeux, entendit un petit sifflement. Alors, poussant un cri bestial, il se rua jusqu'au sas le plus proche, juste au moment où O'Niel ôtait le dernier boulon. Les deux parties du corridor se disjoignirent de quelques centimètres. O'Niel fit un bond en arrière, tandis qu'un jet de matière rouge et blanche giclait sous son nez. Le blanc était de l'oxygène gelé, le rouge, les restes de l'homme qui avait essayé de le supprimer. Il s'agrippa au garde-fou de la passerelle afin de pas être soufflé par la fuite d'oxygène.

Le tueur et le nuage se dissipèrent en direction de Jupiter.

Lazarus était appuyée contre le sas. Une lampe rouge clignotait en haut de la porte, au-dessus d'un cadran lumineux. DANGER FUITE ATMOSPHERE COULOIR B/C AVERTISSEZ EQUIPES DE SECOURS IMMEDIATEMENT. AVERTISSEZ EQUIPES DE SECOURS IMMEDIATEMENT.

Eh bien, les équipes de secours attendraient au moins qu'elle reprenne son souffle, se dit-elle.

Dans le réfectoire de l'administration, les derniers consommateurs finissaient leur petit déjeuner. Depuis quelques jours, les cuisiniers avaient remarqué une baisse sensible de l'entrain, ainsi que des appétits.

Au club, les entraîneurs s'exhibaient en cadence, la foule se massait autour de la piste.

O'Niel avait quitté sa passerelle instable et se dirigeait maintenant vers le toit du bâtiment C. Il s'était alloué cinq minutes de repos et avait avalé une bonne lampée du mélange nutritif de son scaphandre.

Lazarus entra en coup de vent dans le central de sécurité et s'empressa d'aller regarder les monitors de surveillance. Ils étaient toujours allumés. Elle hésita devant la console et les instruments de contrôle dont elle n'avait pas l'habitude de se servir. Les codes étaient différents, mais l'ordinateur fonctionnait grosso modo comme celui de l'hôpital. Elle manipula les boutons et les manettes, afin d'essayer de localiser le deuxième tueur.

O'Niel était parvenu jusqu'au chemin de ronde qui courait au-dessus des rampes d'accès et retournait vers la station hydrométrique. Sauf erreur, le deuxième tueur devait se trouver aux alentours de la serre.

Lazarus, cependant, ne l'avait pas encore trouvé et continuait à se jouer des caméras de surveillance. Soudain, quelqu'un s'approcha derrière elle.

– Est-ce que je peux vous aider?

Elle se retourna, c'était Ballard. Lazarus poussa un soupir de soulagement.

– Ah! tiens! voilà la cavalerie qui rapplique! Vous êtes légèrement en retard, mon cher.

– Mieux vaut tard que jamais, non? (Il regardait avec anxiété les écrans par-dessus son épaule.) Et le marshal... Ça va?

– A peu près. Il a une blessure sans gravité au bras.

Ballard s'avança vers les monitors et Lazarus s'écarta.

– Où est-il?

– Pas la moindre idée, je le cherche depuis dix minutes. Il doit être quelque part à l'extérieur.

– A l'extérieur? (Ballard fronça les sourcils.) Mais où ça?

– Comment voulez-vous que je vous le dise? Je me tue à vous dire que je le cherche aussi. (Elle montra la console d'un geste agacé.) C'est votre joujou, pas le mien. Peut-être du côté de la serre.

O'Niel avait enfin repéré le deuxième tueur; il était toujours dissimulé dans la serre. Le marshal se mit à ramper sur le dôme vitré avec mille précautions. Sa position était plus vulnérable que tout à l'heure. Le toit était transparent et non translucide.

Il faisait une cible de choix. Seuls les feuillages des plantes masquaient sa présence. Mais le tueur ne pouvait tirer qu'une ou deux balles à travers la verrière et devrait détaler aussitôt, à cause de la fuite d'oxygène.

Il continua à se traîner à la surface de la serre et parvint ainsi à proximité d'une nouvelle passerelle qui s'étendait en travers du toit. A l'entrée de la passerelle, il y avait une petite plate-forme où était entreposé du matériel de réparation.

O'Niel eut une idée.

Ballard observait les écrans et regrettait de ne pouvoir manier les caméras avec la même habileté que le marshal.

– Alors, vous dites la serre?

Lazarus se tourna vers lui, hésitante, une question au bord des lèvres. Mais le sergent avait déjà déguerpi.

O'Niel fit halte devant la passerelle.

Au pied de la serre, à une dizaine de mètres en contrebas, se trouvaient les énormes capteurs solaires, damier de panneaux mobiles orientés vers l'astre lointain. Sous lui, marchait lentement le tueur, entre les rangées de plantes.

Ballard atteignit le vestiaire, dénicha un scaphandre à ses mesures et l'enfila.

O'Niel se hissa sur la passerelle et trouva une caisse remplie de disques métalliques munis de ventouses, dont on se servait pour colmater provisoirement des fissures

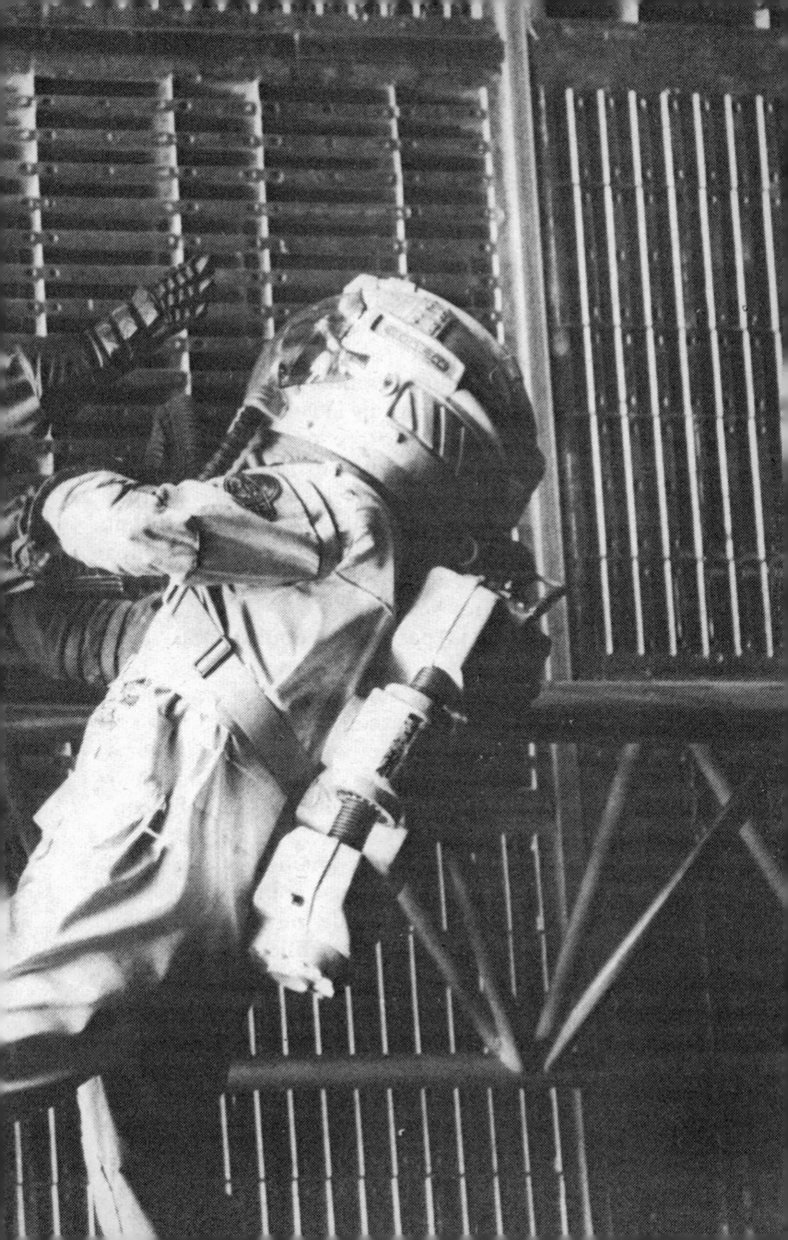

diverses. Chacun d'eux faisait environ cinquante centimètres de diamètre. Il en choisit un et ôta la ventouse, de façon qu'il ne reste que la partie la plus solide. Il s'éloigna alors de quelques pas puis leva le disque des deux mains et le laissa tomber sur la verrière. L'objet glissa le long du dôme, sans le briser.

A l'intérieur de la serre, le tueur entendit un frottement, pivota, visa dans la direction du bruit, tira, une seule fois. Puis il partit en courant, tandis que la fuite d'air émettait un sifflement inquiétant. Mais avant qu'il ait pu atteindre la sortie, O'Niel s'était emparé d'un nouveau projectile, une lourde bouteille d'air liquide et, visant juste, la jeta à toute force sur la verrière, à l'endroit du trou de la balle. La surface vitrée, déjà fragilisée, vola en éclats. Le sifflement de la fuite se transforma en un tonnerre assourdissant, les plantes, les bacs, les rampes lumineuses, les canalisations d'eau explosèrent et furent projetés en mille morceaux dans les airs, en même temps que le corps désarticulé du meurtrier. Le tout s'évanouit dans l'espace en quelques secondes.

O'Niel s'effondra sur la passerelle, épuisé, mais soulagé.

Ballard avait fini de remplir son réservoir d'oxygène et attendait devant la porte de l'ascenseur.

Lazarus tripotait toujours les commandes du monitor à la recherche d'O'Niel, lorsqu'un des écrans lui montra par hasard Ballard, au moment où il pénétrait dans l'ascenseur.

Elle écarquilla les yeux et ses mains se mirent à trembler. Lazarus était surtout furieuse contre elle-même. Une main de médecin se devait de ne pas trembler, quelles que fussent les circonstances. Elle n'avait aucun moyen d'identifier la fréquence radio du scaphandre d'O'Niel, préalablement sélectionnée par son propriétaire. Il y avait des centaines de longueurs d'ondes différentes.

Elle suivit des yeux une longue colonne de boutons. Il y avait un signal d'alarme pour chaque secteur de la mine.

Elle trouva ceux qui correspondaient aux ascenseurs et en enfonça un, sur lequel était marqué : CABINE Nº 8.

Un voyant rouge s'alluma au-dessus de la porte de sortie des ascenseurs. O'Niel était assis sur sa plate-forme, mais il tournait le dos aux installations de la mine et il ne vit pas la lumière. De toute façon, elle n'avait pas grande chance d'attirer son attention. Aux alentours du cratère, le ciel était toujours constellé de points lumineux. L'ascenseur qu'avait pris Ballard arrivait au niveau 1. La porte coulissa, et le sergent sortit, revolver en main.

Lazarus, les dents serrées, flanqua un furieux coup de poing sur la console et s'enfuit en courant du Q.G.

O'Niel, toujours affalé sur sa passerelle, songea qu'il était temps de rentrer. Il lui restait encore quelque chose à faire.

Il se leva et prit la direction des rampes d'accès à la mine.

Soudain, des balles traceuses fusèrent silencieusement à ses côtés, le manquant de peu. Quelques-unes atteignirent les capteurs solaires et en firent jaillir des arcs électriques bleutés. Il se jeta à plat ventre sur la plate-forme et commença à ramper.

Il aperçut alors les signaux d'alarme au-dessus de la cage d'ascenseur et bénit mentalement Lazarus. Aveuglé par la réflexion de la lumière sur les vitres des bâtiments, Ballard cilla, se demandant si O'Niel s'était couché parce qu'il avait été touché ou pour se mettre à l'abri des projectiles. Il commença à marcher en direction de la centrale solaire, seule échappatoire possible du marshal.

Celui-ci ne pouvait encore distinguer son poursuivant mais, d'après l'angle de tir, il devait se trouver quelque part en dessous.

Ballard arriva devant la première rangée de panneaux solaires. A sa droite, se dressait une échelle menant à une plate-forme surplombant la centrale électrique et la serre. Il commença à gravir les échelons. A la vue de la serre dévastée, il redoubla de précautions. Il savait O'Niel capable de lui tendre toutes les embûches possibles. Le marshal était toujours couché sur la passerelle et progressait lentement, sur les coudes et les genoux.

Soudain, il vit pointer le casque du sergent. Il s'aplatit davantage et attendit. Au moment où Ballard émergea, il lui envoya un violent coup de pied dans la tête, mais le sergent tint bon et, d'une dernière traction, se hissa sur la plate-forme.

O'Niel réussit à le désarmer d'un autre coup de pied, le revolver sombra dans le vide, puis les deux hommes se saisirent au collet et roulèrent sur la claire-voie de métal. Leurs mouvements étaient ralentis par l'apesanteur, mais ils se battaient furieusement, avec l'énergie du désespoir. O'Niel souffrait de son bras et sentait ses forces diminuer. Ballard essayait de saisir son adversaire à la gorge et de briser son casque en le cognant par terre; O'Niel, quant à lui, tout en se débattant férocement, cherchait à le pousser vers l'échelle. A un moment, Ballard se retrouva sur le ventre, écrasant le marshal de tout son poids. Mais il restait à O'Niel une main de libre, et il saisit la valve du régulateur à oxygène, derrière le casque du sergent et la ferma d'un coup sec. Ballard voulut prendre une gorgée d'air, rien ne vint, et il commença à suffoquer. Alors, il lâcha prise, se mit à genoux et tâtonna dans son dos pour rouvrir l'alimentation d'air. O'Niel profita de cet instant de répit et, rassemblant ses dernières forces, poussa son assaillant vers le vide. Ballard n'eut pas le temps de se rattraper et bascula dans les ténèbres.

Après un long vol plané, son pied droit heurta la surface d'un panneau solaire. Il y eut un geyser d'étincelles multicolores, une terrible convulsion agita son corps électrocuté, puis son dos s'affaissa sur le capteur et alors ce fut un feu d'artifice auprès duquel la première décharge parut insignifiante.

A l'intérieur de la station de contrôle, sur un des multiples écrans d'ordinateurs, il y eut soudain une baisse de quelques joules. La chute de tension fut tellement brève que le technicien de service ne s'en aperçut même pas.

Ballard glissa lentement le long du plan incliné du capteur et poursuivit sa chute jusqu'aux transformateurs où il fut réduit en cendres dans un dernier jaillissement de flammes.

O'Niel commença à descendre l'échelle, sans se soucier de savoir s'il lui restait encore un autre assassin à combattre. Il était éreinté, ce qui, à tout prendre, était beaucoup mieux que d'être mort.

Lazarus entra dans le club avec une mine d'enterrement.

C'était un endroit où elle se rendait rarement et qui lui était aussi étranger que la surface de Io. Quand elle voulait se saouler, elle le faisait dans son antre, à l'hôpital. Elle promena un regard ahuri sur la salle et répondit évasivement aux saluts des rares personnes qui l'avaient reconnue puis s'avança vers le bar autour duquel se pressait la foule habituelle.

Une silhouette apparut à l'entrée. L'homme avait le bras bandé, le visage noirci et les traits tirés. Il resta planté sur le seuil, cherchant quelqu'un des yeux.

Plusieurs secondes s'écoulèrent avant que les premiers consommateurs reconnaissent O'Niel. Les conversations s'interrompirent, les verres restèrent en suspens devant les visages. Le silence envahit la salle, les entraîneurs se figèrent dans leurs cylindres, le disc-jockey, qui venait d'apercevoir le marshal de sa cabine, coupa le son. Lazarus se retourna et sourit lorsqu'elle vit qui avait provoqué cette stupeur générale.

Sheppard était assis à sa place habituelle et cette paralysie soudaine lui fit froncer les sourcils. Le club n'était jamais complètement silencieux.

Il suivit les regards de tout le monde et, en reconnaissant le marshal, ouvrit grand les yeux et la bouche.

O'Niel traversa la salle, se déplaçant avec peine, et s'avança vers le manager. Enfin, il fut devant lui. Sheppard, pour une fois, restait muet.

– Sheppard, commença O'Niel... Oh, et puis merde!...

Le coup de poing atteignit le manager en pleine figure et l'envoya dinguer cul par-dessus tête dans les rideaux du vestiaire, qui l'ensevelirent. O'Niel poussa un soupir et tourna les talons. Une centaine d'yeux étaient encore vissés sur lui, quand il quitta le club. Il n'y prêta aucune attention. Pour lui, ils n'existaient pas.

Lazarus se tourna vers le barman.

– Un bourbon, avec très peu d'eau, dit-elle. Je me sens de l'énergie à revendre.

O'Niel entra dans le central de sécurité. L'équipe de vigiles était là, au complet, se demandant ce qu'était devenu Ballard. A l'arrivée du marshal, il y eut un murmure d'étonnement. Il passa devant eux en les ignorant. Aucun n'eut le courage de parler. Au bout d'un moment, ils désertèrent la salle en silence et le laissèrent seul dans son bureau. Le monitor était toujours allumé. Il le contempla pensivement, puis tapa : MESSAGE A O'NIEL CAROL STATION ALPHA DE O'NIEL W.T. IO. ARRIVE A TEMPS POUR VOL VERS LA TERRE. GARDE BIEN LES BILLETS. MISSION ACCOMPLIE. EMBRASSE PAUL POUR MOI. IMPATIENT DE DORMIR A TES COTES POUR TOUJOURS. O'NIEL W.T. FIN DE MESSAGE.

Editions J'ai Lu, 31, rue de Tournon, 75006 Paris

diffusion
France et étranger : Flammarion, Paris
Suisse : Office du Livre, Fribourg
Canada : Flammarion Ltée, Montréal

Achevé d'imprimer sur les presses de l'imprimerie Brodard et Taupin
7, Bd Romain-Rolland, Montrouge. Usine de La Flèche,
le 15 septembre 1981
1935-5 Dépôt Légal 3e trimestre 1981. ISBN : 2 - 277 - 21220 - 2
Imprimé en France